Irina Korschunow

Er hieß Jan

Deutscher Taschenbuch Verlag

Eine Lizenzausgabe dieses Bandes ist auch in Japan erschienen.
Zu diesem Band gibt es ein Unterrichtsmodell, enthalten in
LESEN IN DER SCHULE (Sekundarstufen), unter der Bestellnummer
8102 durch den Buchhandel oder den Verlag zu beziehen.

Von Irina Korschunow sind außerdem bei dtv junior lieferbar:
Hanno malt sich einen Drachen, dtv junior Lesebär 7561
Der Findefuchs, dtv junior Lesebär 7570
Kleiner Pelz, dtv junior Lesebär 75053
Kleiner Pelz will größer werden, dtv junior Lesebär 75003
Wuschelbär, dtv junior Lesebär 7598
Wuschelbär hat keine Lust, dtv junior Lesebär 75054
Es muss auch kleine Riesen geben, dtv junior Lesebär 75050
Die Wawuschels mit den grünen Haaren, dtv junior 7164
Neues von den Wawuschels mit den grünen Haaren,
dtv junior 70003
Steffi und Muckel Schlappohr, dtv junior 70486
Das große Wawuschel-Buch, dtv junior Klassiker 70601
Die Sache mit Christoph, dtv pocket 7811
Ein Anruf von Sebastian, dtv pocket 7847

... und bei dtv: Glück hat seinen Preis, dtv 10591

Bearbeitete Neuausgabe
nach den Regeln der Rechtschreibreform
21. Auflage Februar 2002
1982 Deutscher Taschenbuch Verlag GmbH & Co. KG,
München
www.dtvjunior.de
© 1979 Benziger Edition im Arena Verlag, Würzburg
ISBN 3-545-32176-2
Umschlaggestaltung: Jorge Schmidt und Tabea Dietrich
Umschlagbild: Bernhard Förth
Gesamtherstellung: Kösel, Kempten
Printed in Germany · ISBN 3-423-07823-5

1

Acht Quadratmeter, mehr nicht. Vier weiße Wände, ein Fenster, ein Bett, ein Tisch, ein Stuhl, ein Ofen…

»Geh in die Giebelkammer«, hatte die Bäuerin gesagt, als ich nachts bei ihr klopfte und fragte, ob sie mich verstecken könnte.

Sie stand im Hausflur, einen Kerzenstummel in der Hand. Über ihre linke Schulter fiel der graue Zopf. Auch ihr Nachthemd war grau. Bis dahin hatte ich sie nur schwarz gekannt: schwarzes Kleid, schwarze Schürze, schwarzes Kopftuch. An einen Zopf unter dem Tuch hatte ich nie gedacht.

Jetzt sah ich nichts als diesen Zopf.

»Geh in die Giebelkammer«, sagte die Bäuerin.

Ich spürte ihre Hand auf meinem Arm. Sie schob mich zur Treppe, führte mich die schmalen, ausgetretenen Stufen hinauf, schob mich durch die Tür. Ich ließ mich aufs Bett fallen. Ich war achtzehn Kilometer gelaufen. Achtzehn Kilometer in drei Stunden.

»Schlaf, Regine«, sagte die Bäuerin und deckte mich zu. Durch das Fenster fiel die erste Dämmerung. Der graue Zopf schwebte vor meinem Gesicht.

Das war im Oktober. Seitdem bin ich hier.

Zuerst habe ich gedacht, ich halte es nicht aus.

Eingeschlossen sein, nicht wegkönnen, Angst haben, dass die Tür aufgeht, dass sie mich holen, nach mir greifen, mich fortschleppen. Wenn es dunkel wurde und ich dasaß ohne Licht, wollte ich aufspringen, schreien, mit dem Kopf gegen die Wand rennen.

Inzwischen weiß ich, dass es nur eins gibt: warten.

Warum ist alles so gekommen?

Ich sitze in der Giebelkammer des Henninghofes und denke darüber nach. Ich denke, denke, denke. Ich habe Angst und denke und habe Angst. Unten ist die Dorfstraße. Ich habe den Stuhl ans Fenster gerückt, nicht ganz dicht, nur so, dass ich hinaussehen kann, ohne von der Straße aus entdeckt zu werden. Auch die weiße Mullgardine verbirgt mich und der Henninghof liegt am Dorfrand und hat kein Gegenüber. Aber ich sitze auf dem Sprung, immer bereit, wegzulaufen, obwohl ich nicht weiß, wohin. Ich, ausgerechnet ich.

Jan hat einmal gesagt: »Man muss ganz stillhalten. Dann geht alles besser vorüber, so oder so.«

Maurice sagt: »Denk nach, ma petite, jetzt hast du Zeit. Wer denkt, der lernt. Und wenn du hier rauskommst, dann zeig, was du gelernt hast.«

Aber ob ich noch einmal herauskomme? Manchmal glaube ich, das hier ist die Ewigkeit. Immer nur diese Giebelkammer. Der Blick aus dem Fenster. Schnee bedeckt das Kopfsteinpflas-

ter, in der Mitte grau und matschig von den Acker-
wagen, die zum Miststreuen auf die Felder fahren.
Die Huftritte der Pferde, das Rattern der eisenbe-
schlagenen Räder sind fast die einzigen Geräusche
jetzt im Januar.

Ich weiß, sie fahren vorbei, niemand hebt den
Kopf. Doch wenn ich einen der Wagen höre,
drücke ich mich an die Wand und bekomme
feuchte Hände vor Angst. Haben die Frau oder
der alte Mann auf dem Kutschbock meinen Schatten hinter der Gardine gesehen? Zeigen sie es an?
Verraten sie mich?

Anzeigen ist Pflicht.

Man wird bestraft, wenn man es nicht tut.

Ich habe das immer richtig gefunden, früher, in
der Zeit vor Jan. Aber vielleicht sind die Leute hier
in Gutwegen anders, in diesem kleinen Dorf, so
weit weg von der Stadt, Heide und Wald rundhe-
rum und nichts als ihre Arbeit. Schon in den Sommerferien, bei der Erntehilfe, habe ich mich
gewundert, wie wenig sie sich um die Vorschriften
kümmern. »Tach«, sagten sie statt »Heil Hitler«,
»Morjen«, »Nabend«, und die französischen
Kriegsgefangenen, die bei ihnen arbeiten, haben sie
von Anfang an mit am Tisch essen lassen.

Auch auf den Mistwagen sitzt oft einer von
ihnen, obwohl es verboten ist, dass sie ohne
Begleitung die Höfe verlassen. Aber alle Männer,
außer den alten, sind an der Front oder verwundet
oder gefallen, und irgendjemand muss die Arbeit
schließlich tun.

»Die können doch nicht hinter jeden von uns eine Wache stellen«, sagt Maurice. »Brauchen sie auch nicht. Wir laufen nicht weg, jetzt nicht mehr, wo der Krieg zu Ende geht.«

Maurice ist schon über zwei Jahre auf dem Henninghof. Er wohnt in der Kammer über dem Stall, weil Kriegsgefangene und Deutsche nicht unter einem Dach schlafen dürfen. Aber sonst bewegt er sich im Haus wie einer, der dazugehört. Jeden Tag kommt Unteroffizier Kropp auf seiner Kontrollrunde vorbei, lehnt sein Rad gegen die Scheunenwand, isst in der Küche ein Wurstbrot und fährt weiter. Hauptsache, Maurice ist nicht verschwunden.

Habe ich mich im Sommer wirklich noch darüber empört?

Ich denke an den Tag, als wir den Hafer mähten, der nach dem Unwetter am Boden lag und sich von den Messern der Maschine nicht greifen ließ. Maurice geht mit schwingender Sense über das Feld, Gertrud und ich folgen ihm und binden die Garben, von morgens bis mittags, immer im gleichen Takt. Dann sitzen wir unter der Linde. Die Bäuerin hat uns Brote und Kaffee mitgegeben, wir sind müde und verschwitzt, und es ist nur ein einziger Becher da.

Maurice trinkt, Gertrud trinkt. Sie reicht mir den Becher. Ich schüttele den Kopf.

»Hast du keinen Durst?«, fragt Gertrud.

Ich schüttele wieder den Kopf.

»Ach so«, sagt sie.

»Konnte deine Mutter nicht zwei Becher ein-
packen?«, frage ich.

»Die hat anderes im Kopp«, sagt Gertrud, und
ich bin still.

»Du kannst es ja melden«, sagt Gertrud.

Sie sieht mich an mit ihrem abweisenden Blick
und ich komme mir klein und albern neben ihr
vor, obwohl sie nur neun Jahre älter ist als ich,
sechsundzwanzig.

Sie trinkt noch einmal, gibt mir den Becher, und
ich trinke auch.

Damals waren schon drei von ihren Brüdern
gefallen und die Bäuerin sah starr und dunkel aus
wie eine der geschnitzten Figuren in unserem
Dom. Nur wegen der Bäuerin habe ich den Becher
genommen. Doch mit Maurice sprach ich höchstens, wenn es unbedingt nötig war, und bei Tisch
habe ich getan, als ob er nicht da wäre.

Wann ist das gewesen? Vor sechs Monaten
erst? Jetzt sind sie meine Freunde, Gertrud und
Maurice, schon seit dem ersten Morgen hier in der
Giebelkammer.

Der erste Morgen nach dieser schrecklichen
Nacht. Ich hatte geschlafen, die Tür ging auf,
ich wurde wach, fuhr hoch, sprang aus dem
Bett…

»Ich bin's doch nur«, sagte Gertrud.

Sie stand auf der Schwelle, ein Tablett in der
Hand.

»Was haben sie bloß mit dir gemacht?«, fragte sie.

Sie trug das Tablett zum Tisch, goss mir Malzkaffee ein, strich Schmalz auf eine Brotscheibe.

»Iss man«, sagte sie. »Das hilft.«

Ich hatte Hunger und Angst und schluckte die Bissen halb zerkaut herunter. Gertrud stand an der anderen Seite des Tisches und sah mir zu, mit anderen Augen als früher, beinahe so, wie sie die Kälber ansieht, wenn sie ihnen Milch bringt.

»Mutter hat mir alles erzählt«, sagte sie. »Hier oben bist du sicher.«

Später kam Maurice und brachte Holz. Der Ofen war jahrelang nicht benutzt worden. Maurice reinigte ihn, nahm das Rohr ab, klopfte den festgebackenen Ruß aus dem Knie, setzte es wieder ein. Er arbeitete schweigend vor sich hin. Erst als das Feuer brannte, drehte er sich zu mir um.

»Jetzt wird es warm, ma petite«, sagte er.

Ma petite. So nennt er mich seit diesem Morgen.

»Du brauchst keine Angst zu haben. Die Zeit vergeht. Lange dauert der Krieg nicht mehr.«

Er sah auf meinen geschorenen Kopf mit den angesengten Haaren.

»Die wachsen auch wieder nach.«

Ich sagte: »Danke, Maurice.«

Ich schämte mich.

Nein, sie werden mich nicht verraten, die Bäuerin nicht, Gertrud nicht, Maurice nicht. Abends, wenn die Türen abgeschlossen sind und die Fenster verdunkelt, gehe ich zu ihnen hinunter und wir sitzen um den großen Tisch herum. Die Bäuerin hat die Hände im Schoß gefaltet, schwarz und schweigsam blickt sie auf die fünf Bilder, die über dem Sofa hängen – ihr Mann und ihre vier Söhne. Keiner lebt mehr. Der Bauer ist 1943 gestorben, ein Sohn nach dem anderen gefallen: Der Erste gleich zu Anfang in Polen, der Zweite bei Stalingrad, der Dritte in Frankreich, als die Amerikaner und Engländer dort landeten, der Vierte erst jetzt im September, irgendwo an der Ostfront. Walter, der Jüngste, den ich gekannt habe.

Die Bäuerin sitzt da und sieht sie an. Immer wieder kehrt ihr Blick zu ihnen zurück. Manchmal liest sie in der Bibel, Psalme zumeist, und laut. Ich glaube, sie kann nur laut lesen. »Wohl dem, der nicht wandelt im Tal der Gottlosen noch tritt auf den Weg der Sünder… Auf dich, Herr, traue ich, mein Gott. Hilf mir von allen meinen Verfolgern und errette mich…«

Ihre Worte tropfen in das Gespräch zwischen Maurice, Gertrud und mir: Der Krieg, der Krieg, immer wieder der Krieg. Um acht kommen die Nachrichten vom Deutschland-Sender, der Wehrmachtsbericht, die Durchhalteparolen. Und später Radio London. Nachrichten aus England in deutscher Sprache – dass es so etwas gibt, habe ich im Sommer noch nicht gewusst. Maurice stellt das Radio so leise ein, dass wir unsere Ohren an den

Lautsprecher drücken müssen. Nur die Bäuerin steht am Fenster. Sie horcht nach draußen, ob nicht das Hoftor knarrt, der Hund anschlägt, Schritte im Kies knirschen. Wenn jemand kommt, müssen wir das Radio ausschalten. Selbst das Abhören von Feindsendern wird mit dem Tod bestraft.

Für so vieles gilt inzwischen die Todesstrafe. Wenn man beim Bäcker sagt: »Warum macht Hitler nicht endlich Schluss mit seinem verdammten Krieg?«, hängen sie einen schon auf. Vielleicht auch für das, was ich gemacht habe. Und wenn man eine wie mich versteckt.

»Der Tod ist bei euch billiger als Kohlköpfe«, sagt Maurice.

Ich sitze in der Giebelkammer. Es ist Januar, die letzte Januarwoche 1945. Schnee liegt auf der Dorfstraße, London sagt, dass der Krieg zu Ende geht. Die Amerikaner sind schon über Aachen hinaus, die Russen greifen in Schlesien an und ich sitze hier oben und warte, dass es endlich vorbei ist. Dass wir endlich den Krieg verloren haben.

Ich möchte, dass wir den Krieg verlieren, obwohl ich Angst vor seinem Ende habe. Was werden die Sieger mit uns machen? Alle hassen uns. Wir haben ihnen so viel angetan und sie werden sich rächen. Aber nur, wenn wir den Krieg verlieren, kann ich nach Hause. Kann ich erfahren, ob Jan noch lebt. Kann ich ihn vielleicht wieder sehen.

Ich möchte, dass wir den Krieg verlieren. Vor vier Monaten – wenn ich vor vier Monaten diese Worte irgendwo gehört hätte, ich wäre zur Polizei gegangen. Ein Verräter. Einer, der uns in den Rücken fällt, den Soldaten, der Heimat, dem Führer. Ich hätte es angezeigt, vor vier Monaten noch. Auch damals hieß ich Regine Martens, hatte blonde Haare, graue Augen, war einsachtundfünfzig groß, schlank, mit zu dicken Beinen. Genau wie heute. Doch sogar das Äußere stimmt nicht mehr. Die Haare sind nachgewachsen, sie bedecken schon wieder die Ohren, und trotzdem sehe ich anders aus. Vielleicht liegt es daran, dass sich auch sonst alles verändert hat, mein ganzes Leben, und wenn ich es geahnt hätte, damals, als es anfing, am zwölften September – wahrscheinlich wäre ich ins Bett gekrochen und hätte die Decke über den Kopf gezogen. Nein, nicht einmal das. Ich hätte es nicht geglaubt. Ich hätte gelacht, mit den Schultern gezuckt. Weil ich ja noch die Regine Martens von früher war und mir nicht vorstellen konnte, dass ich mich in einen wie Jan verliebe.

Jan. Ich sage seinen Namen vor mich hin und denke, er müsste hereinkommen, durch diese Tür, und vor mir stehen, groß, die Schultern ein bisschen nach vorn fallend, mit seinen strähnigen Haaren und diesen ganz hellen Augen. Hereinkommen, mich ansehen, die Hände nach mir ausstrecken.

Aber er wird nicht kommen.

2

Der zwölfte September, mein Geburtstag.

»Schlaf gut«, hatte meine Mutter am Abend vorher gesagt. »Morgen bist du siebzehn. Hoffentlich gibt es keinen Fliegeralarm. Hast du deinen Koffer gepackt?«

Unser Luftschutzgepäck stand griffbereit an der Flurgarderobe. Aber jeden Abend, bevor sie einschlief, fragte sie: »Hast du deinen Koffer gepackt?«

Es ging mir auf die Nerven. Auch ihr Schnarchen ging mir auf die Nerven. Ich lag neben ihr und dachte, wenn mein Vater Ingenieur oder Chemiker gewesen wäre statt Buchhalter, hätten sie ihn nicht an die Front geschickt. Dann hätte die Konservenfabrik ihn für unabkömmlich erklärt, so wie Dr. Hagemann und Herrn Franke und die beiden Lieberechts, und ich könnte in meinem Zimmer liegen statt hier im Ehebett neben meiner Mutter, die es nicht aushielt, allein zu schlafen, seitdem mein Vater in Russland vermisst war.

Kurz nach zwölf heulten die Sirenen.

»Steh auf Regine«, sagte meine Mutter und zog mir die Decke weg. »Die fliegen wieder nach Berlin.«

»Bei uns passiert sowieso nichts«, sagte ich.

»Beeil dich«, sagte meine Mutter. »Sonst kommt Feldmann.«

»Der braucht doch auch eine Freude«, sagte ich,

denn damals fand ich Feldmann noch komisch, besonders als Luftschutzwart, wenn er durchs Haus rannte und »In den Keller! In den Keller!«, schrie. Dabei kam sowieso jeder von selbst, wer traut sich schon, in einem Haus mit lauter Werkswohnungen aus der Reihe zu tanzen. Und die Männer mussten zum Löschen bereitstehen, der Maschineningenieur, der Chemiker, die Werkmeister.

»Ist ja auch richtig«, sagte meine Mutter. »Wenn sie schon nicht an der Front sind, sollen sie wenigstens dafür sorgen, dass die Fabrik nicht abbrennt, diese kriegswichtigen Herren.«

Feldmann war nur wegen seiner kaputten Hüfte nicht Soldat geworden. Er hinkte, arbeitete als Bürobote, wohnte unten in der Kellerwohnung und musste jeden im Haus zuerst grüßen. »Heil Hitler!«, rief er immer schon von weitem, hob die Hand und machte gleichzeitig einen Diener. Er wurde immer krummer vor lauter Unterwürfigkeit. Aber bei Fliegeralarm verwandelte er sich, bekam eine Kommandostimme, brüllte jeden an, der gegen die Vorschriften verstieß, sogar Dr. Hagemann. Wir fanden ihn lächerlich und fürchteten ihn. Ich bin fast sicher, dass er es war, der mich angezeigt hat. Aber ich weiß es nicht genau. Vielleicht war es auch ein ganz anderer, einer von den Netten im Haus, der mich am Tag vorher noch angelächelt hat und von dem ich mir nicht vorstellen kann, dass er schuld ist an allem.

Während wir die Kellertreppe hinuntergingen, dröhnten schon die feindlichen Bomber in der Luft. Aber ich hatte keine Angst. Unsere Stadt war nie angegriffen worden.

»Die armen Berliner«, sagte meine Mutter. »Oder ob sie heute nach Magdeburg fliegen?«

Unten waren bereits alle versammelt – Hagemanns, Frankes, Frau Kunowski, die drei Lieberechts, Frau Bübler, Frau Albrecht mit ihren Zwillingen, Feldmanns, die alte Frau Schulz, die ihrem Enkelsohn den Haushalt geführt hatte und, nachdem er gefallen war, die Wohnung so verkommen ließ, dass es unter der Tür hervorstank.

Ich sehe sie im Keller sitzen, jeden auf seinem Platz, uns zunicken, ein paar Worte mit uns wechseln. Wir kannten uns seit langem, wussten übereinander Bescheid, gratulierten uns gegenseitig zum Geburtstag. Meine Mutter hatte extra einen Kalender in der Küche hängen, damit sie niemanden vergaß. Natürlich wurde auch geklatscht. Zur Zeit regten sich alle über die alte Schulz auf. Aber die Frauen aus dem Haus kauften trotzdem für sie ein und brachten ihr mittags abwechselnd etwas Warmes. Eigentlich lauter nette Leute.

Einer von ihnen muss es gewesen sein.

»Mundschutz umbinden!«, befahl Feldmann gerade, als wir zu unseren Stühlen gingen.

»Das ist doch wirklich überflüssig, solange nichts passiert«, schimpfte Frau Albrecht. »Man kann ja kaum atmen unter diesen Dingern.«

Aber sie gehorchte, genau wie die anderen.

Ich musste lachen. Wir sahen so komisch aus mit den feuchten Tüchern über Mund und Kinn und den aufgerissenen Augen.

«Was gibt es da wohl zu lachen?», nuschelte Feldmann hinter seinem Mundschutz, und ich nuschelte zurück: »Lachen ist erlaubt, Herr Feldmann. Lachen ist gesund.« Meine Mutter stieß mich mit dem Ellbogen in die Seite und schüttelte warnend den Kopf.

In diesem Augenblick fing es an.

Zuerst ein Zischen und Heulen. »Luftminen!«, schrie jemand. Dann krachte es. Ich sah, wie einer der Stützpfeiler im Keller zitterte. Es krachte wieder und über die weiß gekalkte Decke über mir lief plötzlich ein schwarzer Riss. Von den Wänden brach der Putz, das Licht flackerte und erlosch, meine Nasenlöcher und Augen waren voller Staub.

Wir alle schrien. Meine Mutter griff nach meinem Arm. Rechts vor mir saß der älteste Sohn von Feldmann, so ein dünner Junge, etwa acht, der stotterte und niemandem ins Gesicht sehen konnte, genau wie der Vater. Seine Mutter war vor drei Jahren gestorben, Feldmanns neue Frau hatte zwei kleine Kinder mitgebracht, die hielt sie auf dem Schoß. Um den Jungen kümmerte sie sich nicht.

Als die zweite Bombe fiel, streckte er die Hand nach mir aus. Ich legte den Arm um ihn und erkroch dicht an mich heran. So hockten wird da, meine Mutter, der Junge und ich, aneinander gepresst und zusammen atmend. Es pfiff, es krachte. Der Boden schwankte und wir dachten, jetzt stürzt die Kellerdecke ein, und dies ist das Ende.

Dann hörte es auf. Es wurde still. Unheimlich still. Bis die Sirenen wieder losheulten. Entwarnung.

Feldmann knipste seine Taschenlampe an.

»Los!«, brüllte er. »Franke und Hagemann auf den Boden und Brandbomben suchen. Alle anderen raus zum Löschen!«

Wir stürzten ins Freie. Brandgeruch schlug uns entgegen, Rauch, Ruß, Staub. Ich war froh, dass ich den Mundschutz hatte.

Die Fabrik war an mehreren Stellen getroffen worden. Das Verwaltungsgebäude, die Maschinenhalle, das Lagerhaus – nur noch Schutthaufen, aus denen Flammen schlugen, eine rote Wand in der Nacht.

Auch die Baracke der polnischen Fremdarbeiter brannte. Die Polen standen auf dem Hof, in Decken gewickelt, manche nur in Unterzeug. Es gab keinen Luftschutzkeller für sie. Wahrscheinlich hatten sie geschlafen, als die Bomben fielen.

Auf der Erde lagen Verletzte. Einer von ihnen, ein Älterer, hatte eine große Wunde am Arm. Neben ihm hockte ein junger Mann. Er sah auf meine Verbandstasche.

»Helfen Sie. Bitte!«, sagte er.

Ich wusste nicht, was ich tun sollte. Es war der erste Verwundete, den ich zu sehen bekam, mit dem ersten richtigen Blut. Außerdem ein Pole. Einer von diesen Untermenschen.

Untermenschen, Juden, Polen, Russen – alles Untermenschen. Habe ich das wirklich geglaubt? Ich denke an Jan. An seine Augen. An seine Hände. An seine Stimme. An die Dinge, die er sagte.

»Ich will nicht hassen«, sagte er einmal. »Es ist so viel Hass in der Welt. Ich will keinen dazutun. Ich will, dass es weniger wird.« Aber in der Bombennacht, als ich den Polen verbinden sollte, da dachte ich es; dieses Wort: Untermensch. Ich wollte mich umdrehen, weggehen.

Der Verwundete stöhnte. Sein Gesicht war grau.

»Helfen Sie doch! Bitte!«, wiederholte der andere.

Er hatte eine merkwürdige Stimme. Heiser, rauh. Und trotzdem sanft. Mir fällt kein anderer Ausdruck ein. Sanft.

Ich öffnete die Verbandstasche und Lisabeth Hagemann, die neben mir stand, rief: »Du willst doch wohl nicht die Polacken verbinden!«

Sie war drei Jahre älter als ich. Früher hatten wir zusammen gespielt. Jetzt arbeitete sie im Büro und war mit einem Leutnant verlobt.

Ihr ausgestreckter Arm zeigte auf das Feuer. »Die sind doch schuld daran! Lass die Hände von denen!«

Sie kreischte direkt. Ihr Gesicht sah verzerrt aus.

Sie griff nach meinem Arm und versuchte mich wegzuschieben, und plötzlich wollte ich den Polen verbinden. Frau Bühler kam mir zu Hilfe.

19

»Die Leute arbeiten für uns«, sagte sie. »Natürlich müssen wir uns um sie kümmern.«

Ausgerechnet Frau Bühler. Ich weiß noch, wie verwundert ich sie angesehen habe. Ihr Mann war 1940 nach Polen gegangen, um die Leitung mehrerer Konservenfabriken zu übernehmen. »Ein scharfer Hund, der Bühler«, hatte mein Vater gesagt. »Der wird die Polacken schon auf Trab bringen.« Seine Frau erzählte, dass er in einer Villa wohnte, mit zwei Dienstmädchen. Sie sollte nachkommen. Aber kurz vor ihrer Abreise ist er von polnischen Partisanen ermordet worden. Und jetzt wollte sie einem Polen helfen. Ich verstand das nicht. Aber wegen Lisabeth Hagemann war es mir recht. Ich hockte mich neben den Mann, band den Arm ab und legte Mull auf die Wunde. Mir wurde schlecht, als ich das rohe, blutige Fleisch sah. Der Mann schrie. Während ich ihn verband, hielt der andere seinen Kopf fest. »Danke«, sagte er, wieder mit dieser merkwürdigen Stimme.

Ich antwortete nicht. Ich wusste noch nicht, dass es Jan war.

Es schlug vier, als wir in unsere Wohnungen zurückkehrten, verdreckt, müde, mit brennenden Augen. Meine Haare klebten vom Ruß.

Das Haus war ganz geblieben. Aber die Fensterscheiben vom Esszimmer, von der Küche und vom Bad, die auf der Fabrikseite lagen, hatte der Luftdruck zersplittert. Auch die Scheiben vom Buffet, die Gläser und Karaffen, die darin gestan-

den hatten, waren kaputt, die Lampen herunterge-
fallen, die Bilder, der Putz.

Meine Mutter blieb in der Tür stehen und sah
eine Weile stumm auf die Scherben. Ihre Wohnung
war ihr immer heilig gewesen. Ich dachte, sie
würde gleich mit Aufräumen beginnen, aber sie
sagte: »Ich kann nicht mehr. Wir lassen alles bis
morgen liegen.«

Dann nahm sie mich in die Arme und küsste
mich.

»Du hast ja Geburtstag. Ich gratuliere dir. Hoffentlich kommt Papa in diesem Jahr wieder.«

Sie weinte. Sie weinte so leicht in der letzten
Zeit. Früher nicht. Sie hatte mich auch nie mehr in
den Arm genommen seit meiner Kindheit. So
etwas war zwischen uns nicht üblich, auch zwischen meiner Mutter und meiner Großmutter
nicht. Ich hatte mir oft ein bisschen Zärtlichkeit
gewünscht. Und jetzt fand ich es fast unangenehm,
ihre große weiche Brust und ihren Bauch zu
spüren.

»Leg dich hin, Mutti«, sagte ich. »Ich komme
gleich.«

Durch die Schlafzimmertür hörte ich, wie sie
immer noch weinte. Ich hörte, wie sie sich auszog,
sich ins Bett legte, wie es still wurde. Meine Mutter schläft sofort ein, wenn sie sich zugedeckt hat,
ganz gleich, ob sie froh ist oder traurig.

Ich ging in mein Zimmer, das zu den Gärten
hinaus liegt, und machte das Fenster auf. Wieder
dieser Brandgeruch, doch von dem Feuer konnte

21

man nichts sehen. Die Nacht war schwarz, kein Mond, keine Sterne. Nur die Lichtstreifen der Flakscheinwerfer krochen noch über den Himmel.

Mein Geburtstag. Dies war mein Geburtstag. Siebzehn Jahre. Luftminen, Bomben, Angst. Aber ich lebte noch, ich hatte einen Menschen verbunden und Feuer gelöscht. Dieses seltsame Gefühl, als ich in die Nacht hinaussah. Keine Angst mehr, ich lebe, ich werde weiterleben, viele Tage, einen Tag nach dem andern, die Zeit wird kommen, etwas wird kommen, auf das ich warte. Ich stehe am Fenster und atme und lebe, und alles ist schrecklich, aber ich bin glücklich in dieser Nacht. Ja, so war es.

3

Am nächsten Morgen bin ich nicht in die Schule gegangen. Wir schliefen lange, wuschen uns, fingen an aufzuräumen. Ich war gerade dabei, Pappe gegen die leeren Fensterrahmen zu nageln, da kam meine Großmutter. Als Erstes hängte sie ihren dunkelblauen Mantel auf einen Bügel und band eine Schürze um. Dann ging sie ins Esszimmer. Mit zusammengepressten Lippen stand sie zwischen den Scherben.

»Von der Anrichte ist auch eine Ecke ab«, sagte

sie so vorwurfsvoll, als ob meine Mutter daran schuld wäre. »Gut, dass Vater das nicht mehr erleben muss.«

Beinahe hätte ich gelacht. Mein Großvater hatte die Anrichte selbst gemacht. Aber die Bemerkung hätte er bestimmt auch komisch gefunden.

Von meiner Großmutter hörten wir, es hätte in der Stadt etwa fünfzig Tote gegeben. Fünfzig. Nicht viel, gemessen an Berlin, Hannover, München, dem Ruhrgebiet. Aber die ersten Toten bei uns. Steinbergen, dreißigtausend Einwohner, kein Angriff bisher.

Ich nahm mein Rad und fuhr die Straßen ab. In einem der zerstörten Häuser hatten zwei Schwestern aus meiner Klasse gewohnt. Sie lagen unter den Trümmern. Der alte Fleischer Sachse, der seit Kriegsbeginn wieder im Laden gestanden hatte, war umgekommen, auch seine Schwiegertochter, sein Enkel. Und der Schuhmacher Furchtmann im Hinterhaus, zu dem ich früher so gern gegangen bin. Er saß immer an einem Tisch vor dem Küchenfenster. Von der Decke herab hing die blinkende Schusterkugel, in der sich das Licht brach. Er erzählte mir Geschichten von dieser Kugel, und ich durfte Nägel in Lederstücke schlagen. Jetzt war er tot und seine Kugel zersprungen.

Dann stand ich vor dem Dom. Vor dem Schutthaufen, den sie übrig gelassen hatten. Unser Dom, der Steinbergener Dom, norddeutsche Backsteingotik. Ich war jeden Tag an ihm vorbeigegangen und hatte kaum noch hingesehen. Aber der Dom war da gewesen, und nun gab es ihn nicht mehr.

»Diese Schweine!«, sagte der Mann, der neben mir stand. »Gottverfluchte Hunde! Wenn man wenigstens einen von denen hätte. Ins Gesicht treten würde ich ihm.« Er hat Recht, dachte ich.

Und am Nachmittag habe ich Jan wieder getroffen.

»Versuche, ob du bei Steffens Gemüse bekommst«, hatte meine Mutter am Nachmittag gesagt. »Karotten. Oder Rote Bete. Erzähl ihm, dass du Geburtstag hast. Vielleicht gibt er dir einen Weißkohl.«

Ich hatte keine Lust hinzugehen, obwohl es nur ein paar Schritte bis zur Gärtnerei waren. Ich konnte den alten Steffens nicht ausstehen, mit seinem roten Gesicht und dem dicken Bauch. Er kroch immer so nahe an mich heran, tätschelte mein Gesicht, legte den Arm um meine Schultern und roch dabei nach Zwiebeln und Schnaps. Bei meiner Mutter tat er das nicht, aber sie bekam auch kein Gemüse.

»Geh doch!«, bat meine Mutter. »Vielleicht rückt er sogar ein paar Eier raus.«

Manchmal gab er mir tatsächlich Eier. Er hatte alles, dieses alte Ekel, nicht nur die Gärtnerei, sondern auch einen Hof, Kühe, Hühner…

Damals habe ich so gedacht. Später, als er unser Freund geworden war, tat es mir Leid.

Der zwölfte September, mein Geburtstag, der Tag nach der Bombennacht.

»Herr Steffens!«, rufe ich und gehe an den Gewächshäusern entlang. »Herr Steffens!«

Ein Mann kommt aus dem Schuppen. Er ist jung. Er hat eine blaue Arbeitsjacke an. Auf der Brustseite ist ein Buchstabe aufgenäht. P für Pole. Das Zeichen, das alle polnischen Fremdarbeiter tragen müssen, damit man weiß, mit wem man es zu tun hat.

»Herr Steffens kommt in einer Stunde wieder«, sagt er, und ich erkenne die Stimme. Er sieht mich an mit seinen hellen Augen. Es ist still im Garten.

»Wie geht es Ihrem Freund?«, frage ich und weiß nicht, warum ich mit dem Polen rede.

»Sie haben ihn weggebracht«, sagt er.

»Wohin?«, frage ich. »Ins Krankenhaus?«

»Irgendwohin«, sagt er und zuckt mit den Schultern.

»Können Sie ihn besuchen?«, frage ich.

»Besuchen? Ich?« Er senkt den Kopf, stößt Unkraut mit dem Fuß beiseite. Dann sieht er mich wieder an und lächelt.

»Danke, dass Sie ihm geholfen haben. Es ist gut, wenn Menschen sich gegenseitig helfen. Menschen mit P, Menschen ohne P.«

Wir schweigen eine Weile.

»Woher können Sie so gut Deutsch?«, frage ich.

»Ich bin an der Grenze aufgewachsen«, sagt er. »Dort können die Polen Deutsch und die Deutschen Polnisch.«

Wir schweigen wieder. Zwischen den Beeten blühen Astern. Licht und Schatten spielen auf dem Weg.

»Wieso arbeiten Sie hier?«, frage ich. »Sie wohnen doch drüben in der Baracke.«

»Der Betriebsleiter hat mich ausgeliehen«, sagt er. »Gegen ein Suppenhuhn.« Er lacht. »Aber ich bin froh darüber, der Garten gefällt mir besser als die Fabrik. Und Herr Steffens ist nett.«

»Der?«, frage ich.

»Ja, sehr«, sagt er. »Er spricht mit mir wie mit einem Menschen. So wie Sie.«

Er bückt sich, zieht Karotten aus der Erde, pflückt ein paar Astern dazu und gibt mir den Strauß.

»Ich heiße Jan«, sagt er. »Und Sie?«

»Regine Martens«, sage ich.

»Regine?« Er denkt nach. »Regina. So hieß ein Mädchen bei mir zu Hause. Regina klingt schön.«

Er blickt mich an mit diesen hellen Augen. Bis ich nur noch die Augen sehe, kein Gesicht mehr, nur die Augen.

Wir stehen zwischen den Gewächshäusern, die Sonne scheint, ich halte einen Strauß Karotten und Astern in der Hand und sehe das P auf seiner Jacke und sage: »Jan? Jan klingt auch schön.«

So fing es an. Das war unser erstes Gespräch. Ich dachte nicht mehr daran, dass ich mit einem Polen sprach. Dass es verboten war. Dass ich nie mit einem Polen sprechen wollte.

»Kommen Sie wieder?«, fragte er.

»In einer Stunde«, sagte ich. »Wenn Herr Steffens da ist.«

Aber ich wäre ohnehin wiedergekommen. Zu Jan. Obwohl ich wirklich nicht weiß, warum ausgerechnet zu ihm. Er war so ganz anders als die Jungen, die mir bis dahin gefallen hatten.

»Ein deutscher Junge muss sein zäh wie Leder, hart wie Kruppstahl, schnell wie ein Windhund«, das war einer der Sprüche, die sie uns eingeprägt hatten.

Meine Freundinnen und ich hatten darüber gespottet. Aber hängen geblieben war doch etwas. Männer, fanden wir, sollten groß sein, sportlich, mit scharf geschnittenen Gesichtern. Man musste sie sich in einem U-Boot vorstellen können oder in der Kanzel eines Jagdflugzeuges.

Jan war zwar groß, aber sportlich bestimmt nicht. Eher das, was man lasch nannte – mit diesen hängenden Schultern und den zögernden Bewegungen. Alles an ihm, auch der Gang, hatte etwas Vorsichtiges, Tastendes, so, als fürchtete er, irgendwo anzustoßen. Nein, nach Ritterkreuz sah er nicht aus, überhaupt nicht nach Heldentum. Mehr wie jemand, der sich verkriecht, wenn geschossen wird.

Ein Saftheini. Ja, der Typ war er. So hatten wir Männer wie ihn genannt.

Jan hat gelacht, als er es hörte, viel später. Wenn man überhaupt von viel später reden kann, so kurz, wie unsere Zeit war.

»Ganz richtig«, sagte er. »Das bin ich. Ich habe Angst vor Gewehren. Gut, dass ich nicht in den Krieg musste.«

Es war in der Nacht am Baggerteich, hinten bei der alten Ziegelei. Ein einziges Mal waren wir dorthin gegangen. Ich wollte es so gern. Einmal dort draußen sitzen, nicht im Schuppen, das Wasser blinkt, die Frösche quaken… Aber ich hatte mich geirrt. Der Sommer war vorbei. Die Frösche quakten längst nicht mehr und in der Dunkelheit sah das Wasser nur schwarz aus.

»Gut, dass ich nie in den Krieg musste«, sagte Jan, und ich fragte: »Und das P auf deiner Jacke? Ist dir das lieber?«

Er nickte.

»Das P ist keine Kugel. Es macht mich rechtlos, aber es tötet mich nicht. Wenn der Krieg zu Ende ist, kann ich weiterleben.«

Er lachte wieder. »Ich bin wirklich feige.«

Feige? Bei allem, was er riskierte? Polen, die etwas mit deutschen Mädchen hatten, kamen ins KZ, oder sie wurden aufgehängt, ohne Gerichtsverhandlung, einfach aufgehängt. Jan wusste das.

Alle Polen wussten es. Und trotzdem traf er sich mit mir.

»Wir stehen oben auf dem Drahtseil«, hatte er irgendwann gesagt. »Ohne Netz.«

Jede Nacht konnte das Ende sein.

»Nein, Jan, du bist nicht feige«, sagte ich.

»Du auch nicht, moje kochanie.« Er küsste mich. »Wir haben bloß Angst.«

Er küsste mich, er war bei mir und alles andere war mir in diesem Augenblick egal.

4

Von morgens bis abends in der Giebelkammer. Immer nur die weißen Wände, das dunkel gebeizte Bett, die karierten Bezüge, der Ofen gleich neben der Tür, der Tisch mit der Blumendecke, rote Rosen, blaue Rosen. Ich kenne das alles auswendig, jeden Riss in der Wand, jede Fuge zwischen den braun gestrichenen Dielenbrettern, auch die Gerüche, die zu mir hochkommen. Bratkartoffeln mit Speck. Erbsensuppe. Streuselkuchen. Und die Tage nehmen kein Ende. Ich möchte das Fenster aufreißen, mich hinauslehnen, schreien.

»Nu werd bloß nicht hysterisch«, sagt Gertrud. »Tu lieber was.«

Aber mit der Arbeit, die sie mir bringt, bin ich viel zu schnell fertig. Bügeln, Wäsche ausbessern, Strümpfe stopfen – es gibt gar nicht so viele Strümpfe auf dem Heinninghof, wie ich Zeit habe. Außerdem stopfe ich nicht gern.

Am schlimmsten ist, dass ich kein Licht machen darf. Ab vier wird es dämmerig, dann kann ich auch nicht mehr lesen. Obwohl es eigentlich nichts ausmacht, weil ich kaum etwas zu lesen habe. Manchmal, wenn Gertrud sonntags mit dem Rad in eins der Nachbardörfer fährt, bringt sie Bücher mit. Viel ist es nicht, was die Bauern haben. Ich glaube, inzwischen kenne ich schon alles, was es in dieser Gegend gibt, einschließlich mehrerer Jahrgänge vom ›Deutschen Bauernkalender‹.

Neulich kam Gertrud sogar mit Schillers Dramen zurück, die bei Haakes auf dem Dachboden lagen, noch vom vorigen Krieg her, als die Leute aus der Stadt genau wie heute alles Mögliche gegen Eier und Kartoffeln eingetauscht haben.

Schillers Dramen, in rotem Leder mit Goldschnitt. Seitdem lerne ich den Don Carlos auswendig.

Gertrud hat gegrinst, als sie mir die Bände hochbrachte. »Mindestens fünf Pfund«, sagte sie. »Hoffentlich reicht das eine Weile. Der alte Haake dachte wohl, ich spinne, als ich die auch noch mitnehmen wollte. ›Wozu'n das?‹, hat er gefragt, und ich hab ihm erzählt, dass ich nicht schlafen kann und deswegen Bücher brauche. ›Nee, Trudchen‹, hat er gesagt. ›Was du brauchst, is'n Kerl, oder wenigstens richtige Arbeit. Gut, dass bald Frühling ist und es auf'm Acker wieder anfängt. Pass auf, dann wird's besser.‹«

Sie lacht und schlägt auf den Tisch.

»Da hat der alte Haake mal Recht. Im Frühling ist der Krieg nämlich vorbei und wir brauchen keine Bücher mehr, was, Kleine?«

Wenn Gertrud lacht, dröhnt das Zimmer, und man muss mitlachen, selbst, wenn man lieber heulen würde. Es ist, als ob sie mit ihrem ganzen Körper lacht. Sie hat breite Hüften und dicke Arme und arbeitet wie ein Bauer. Im Sommer bekommt sie Sonnenbrand und das blonde Haar bleicht aus. Fast weiß wirkt es dann. Aber im Winter dunkelt es wieder nach und ihr rotes Gesicht wird hell und zart. Im Winter sieht Gertrud hübsch aus. Es dauert nur nicht lange, höchstens bis April.

Ihr ist das gleichgültig. »Hauptsache, die Arbeit wird geschafft«, sagt sie. »Und außerdem hab ich ja schon einen.«

Damit meint sie ihren Mann, den sie vor fünf Jahren geheiratet hat. Sechsmal war er seitdem auf Urlaub.

Oft spricht sie nicht von ihm. »Falls er wiederkommt, werde ich ihn noch lange genug haben«, sagt sie, und seine Briefe stecken manchmal noch am nächsten Morgen, wenn sie mir das Frühstück bringt, ungeöffnet in der Schürzentasche. Sie schläft nachts drüben bei Maurice, geht mit ihm um wie eine Frau mit ihrem Mann. Ich glaube, er ist so etwas wie der Bauer für sie geworden. Sie arbeiten zusammen, er bekommt die größten Fleischstücke, und wenn sie wütend ist, brüllt sie: »Du Döskopp!«

Maurice mag sie auch.

»Sie ist wie eine Kuh«, hat er einmal zu mir gesagt.

»Eine gute warme Kuh. Aber das darfst du ihr

nicht sagen. Sie versteht nicht, dass es ein Kompliment ist.«

Manchmal, wenn er Holz bringt, bleibt er eine Weile bei mir. Dann sprechen wir Französisch zusammen. Sonst nicht, wegen der anderen.

Maurice hat schon vor dem Krieg Deutsch gelernt. Jetzt macht er fast keine Fehler mehr.

»Diesen Sprachkurs verdanke ich eurem Führer«, sagt er. »Eigentlich müsste ich noch etwas dafür bezahlen.« Er ist sechsunddreißig, nur vier Jahre jünger als mein Vater, und hat eine Frau und einen zehnjährigen Sohn in Lyon. Ihre Bilder trägt er in der Brusttasche.

»Ich denke immerzu an sie«, hat er einmal zu mir gesagt. »Aber ich bin ein Mann. Schlimm, ma petite.«

Gertrud findet das ganz in Ordnung.

»Wenn der Krieg zu Ende ist, rennt er mit dampfenden Socken nach Hause«, sagt sie. »Und da gehört er schließlich auch hin. Jetzt arbeitet er ja wie 'n Bauer. Aber er ist keiner, er ist Lehrer. Stell dir vor, ich und 'n Lehrer. Meiner ist Bauer, der passt hierher.«

Das sind Gespräche, die wir manchmal in der Dämmerung führen, wenn sie bei mir in der Kammer sitzt. Wir reden über Maurice und Jan und wie das wohl wird mit ihr und mit mir. Aber oft kommt das nicht vor. Sie muss mit Maurice ins Holz fahren und zum Miststreuen, mit ihm dreschen und Wagen und Zäune reparieren, die Scheune neu decken, das Vieh versorgen. Es stimmt nicht, dass es im Winter keine Arbeit gibt. Für zwei Leute ist es viel zu viel. Ich wünschte, ich könnte ihnen helfen, statt Don Carlos auswendig zu lernen.

»Wenn der Krieg vorbei ist!«, sagt Gertrud. »Aber dann studierst du und siehst uns Bauern nicht mehr an.«

5

Es ist Sonntag.

Sonntags schlafen alle auf dem Hof etwas länger. Sonntags gibt es Kuchen zum Frühstück. Sonntags geht die Bäuerin ins Nachbardorf zur Kirche.

Es sind fast zwei Kilometer bis dorthin. Ich blicke hinter ihr her. Sie ist groß und breit. Sie geht sehr langsam, wegen der Schmerzen in ihren Hüften. Von hinten sieht sie aus wie ein großer schwarzer Stein, der sich über die Straße schiebt.

Wenn sie jemanden trifft, nickt sie nur und geht weiter. Sie spricht nicht mehr mit den Leuten seit dem Tod ihres letzten Sohnes.

Am Nachmittag ist Besuch gekommen. Gertrud hat die gute Stube zum Kaffeetrinken geheizt. Die Bäuerin bleibt an dem großen Tisch neben der Küche, dort, wo sie immer sitzt.

Ich öffne die Tür einen Spalt breit, horche nach unten, höre Stimmen und Lachen. Ich denke an meine Mutter, wie sie zu Hause im Sessel sitzt und strickt. Oder alte Pullover auftrennt, die Fäden um ein Brett wickelt, sie feucht macht, sie trocknet, damit sie wieder Wolle hat. Ich sehe ihre Bewegungen, die Art, wie sie den Kopf gesenkt hält, ihn hebt, sich mir zuwendet. Ich möchte hingehen und ihre Hand nehmen, ihr sagen, dass ich noch lebe, und merken, dass sie noch da ist, so wie sie immer da war, weil sie ja meine Mutter ist, auch wenn wir in der letzten Zeit immer weiter auseinander gerückt sind.

Ich glaube, sie hat es nicht einmal bemerkt. Sie war viel zu beschäftigt, mit den Gedanken an meinen Vater und mit der täglichen Jagd nach Lebensmitteln. Hier eine Bekannte, die Falläpfel im Garten hat, dort ein Fleischer, der Wurstbrühe ohne Lebensmittelkarten verkauft, ein Bauer, bei dem es hin und wieder Magermilch gibt. Manchmal bekamen wir ein paar leere Konservendosen von der Fabrik, mit denen konnte man etwas machen: Dosen gegen Zuckerrüben, einen Teil der Zuckerrüben gegen das Ausleihen der Siruppresse, Rübensirup gegen Zigaretten, Zigaretten gegen Fleisch. Tagelang war meine Mutter wegen solcher Kungelgeschäfte unterwegs.

Und ich in der Schule. Eisern. Auch wenn die Front immer näher rückte, bei uns ging es ums Abitur.

»Jeder tut seine Pflicht dort, wo er steht«, sagte

Dr. Mühlhoff. »Und Sie stehen vorläufig noch hier, meine Damen. Schließlich ist Ihr Berufsziel ja wohl nicht Großmagd.«

Damit spielte er auf die Erntehilfe an, deretwegen die Sommerferien vom 15. Juni bis zum 1. September gedauert hatten. Jetzt sollten wir alles nachholen, ganz gleich, ob wir nachmittags Lazarettdienst machten oder auf dem Bahnhof an die durchfahrenden Truppen Tee ausschenkten.

»Lazarett?«, sagte Dr. Mühlhoff. »Bahnhof? Schicken Sie doch Ihre Frau Mutter dorthin. Machen Sie Abitur und werden Sie Ärztin oder meinetwegen Reichsbahnoberinspektor. Damit nützen Sie Deutschland mehr.«

Er war ziemlich unerbittlich, schon früher, als wir ihn in der Unterstufe als Klassenlehrer hatten. Dann ging er an die Front, kam nach drei Jahren ohne rechten Arm zurück und wurde wieder unser Klassenlehrer. Er gab Deutsch und Englisch. Wir fanden ihn noch schlimmer als vorher. Aber vielleicht hat er mir das Leben gerettet.

Er war der Erste.

Der Zweite war ein alter Gefängniswärter mit dicken weißen Augenbrauen. Ich kenne nicht einmal seinen Namen.

Dr. Mühlhoff, Mitte dreißig vielleicht, mindestens einsfünfundachtzig groß, dunkle Haare, dunkle Augen, immer braun gebrannt, niemand wusste, woher.

»Fantastisch sieht der aus«, sagte meine Freundin Doris Weißkopf. »Bloß schade, dass es der Mühlhoff ist, dieses Ekel.«

Der fünfte Oktober. Wir schreiben einen Klassenaufsatz. Drei Themen stehen zur Wahl:
1. Bildbeschreibung: Die Kreuzigungsgruppe des Matthias Grünewald.
2. Ein Wort von Goethe: »Was du ererbt von deinen Vätern hast, erwirb es, um es zu besitzen.«
3. Ein Brief an einen Freund im Ausland über den Sinn dieses Krieges.
Ich nahm das dritte Thema.

Auch wenn es der elfte September gewesen wäre, die Zeit vor Jan, hätte ich es genommen. Brief an einen Ausländer. Ein Brief wie eine Goebbelsrede. Auf mindestens zehn Seiten hätte ich dargelegt, warum Deutschland diesen Krieg führen muss. Zum eigenen Wohl. Zum Wohl aller Menschen und Völker. Gegen Bolschewismus und Weltjudentum.

Aber es ist nicht der elfte September. Es ist der fünfte Oktober. Dreiundzwanzig Tage nach Jan.

Natürlich war es Wahnsinn, dieses Thema. Jetzt weiß ich es – weil ich gespürt habe, wie es ist, wenn sie kommen und dich holen, in ein Auto stoßen, in eine Zelle bringen, die Tür verschließen. Dieses Thema! Es war mir doch klar, dass ich vorsichtig sein musste. Aber ich nahm es und schrieb.

»Du wolltest Zeugnis geben«, sagte Jan. »Wie die Märtyrer. Das gibt es. Man kann manchmal nicht anders.«

»Du bist sehr jung, ma petite«, sagt Maurice.

»So was Bekloptes«, sagt Gertrud. »Das würde ja nicht mal ich machen. Und ich war bloß auf der Dorfschule. Manche werden vom Lernen immer dümmer.«

Ein Brief an einen Ausländer über den Sinn dieses Krieges. Ich schrieb einen Brief über seine Sinnlosigkeit. Über die Sinnlosigkeit aller Kriege. Den Unsinn des Tötens und Sterbens. Und über den Sinn des Lebens. Über die Freundschaft zwischen Menschen und Völkern. Über den Frieden.

Ich schrieb und schrieb und gab meinen Aufsatz ab und war froh und erleichtert. Als ob es für Jan geschehen sei. Gertrud hat Recht mit »so was Bekloptes«. Aber Gertrud ist anders als ich. Der stößt nichts zu. Sie kann ihren Maurice in aller Ruhe lieben, zwei Jahre schon, als wäre gar nichts dabei.

Am Abend, nachdem wir den Aufsatz geschrieben hatten, war Fliegeralarm. Ich saß im Keller, neben mir wieder der Sohn von Feldmanns. Und plötzlich, von einer Sekunde zur anderen, begriff ich, was ich getan hatte. Was es bedeutete.

Mir wurde schlecht vor Angst. Wie nannte man das, was in meinem Aufsatz stand? Wehrkraftzersetzung? Propaganda für den Feind? Und was bekam man dafür? Zuchthaus? KZ? Ich hörte damals schon London und wusste, wie man mit Staatsfeinden verfuhr.

Am nächsten Tag wagte ich mich fast nicht zur Schule. Ich ging so langsam, dass ich zu spät kam.

Aber Dr. Mühlhoff benahm sich wie immer. Wir hatten Englisch an diesem Morgen. Er ließ mich eine halbe Seite übersetzen und sagte: »Ganz gut, Regine. Machen Sie weiter so.«

Er hat ihn noch nicht gelesen, dachte ich.

Nach der Stunde, als ich an Dr. Mühlhoff vorbeigehen wollte, hielt er mich an.

»Wenn Sie einen Moment Zeit hätten, Regine«, sagte er. Er wartete, bis alle anderen die Klasse verlassen hatten. Dann stand er von seinem Stuhl auf. Sein Kopf schwebte hoch über meinem. Ich schwitzte. Meine Hände waren feucht und kalt.

»Mir ist etwas sehr Unangenehmes passiert«, sagte Dr. Mühlhoff. »Gestern habe ich die Aufsätze flüchtig durchgesehen. Und jetzt ist Ihrer nicht mehr da.«

Er machte eine Pause, nahm einen Bleistift vom Tisch, legte ihn wieder hin.

»Ihre Blätter müssen zwischen die Zeitungen gerutscht sein«, sagte er. »Und beim Heizen sind sie wahrscheinlich mit in den Ofen geraten. Was machen wir nun?«

Ich starrte ihn an. Ich verstand ihn noch nicht.

»Was meinen Sie«, fragte er. »Würden Sie den Aufsatz noch einmal schreiben? Natürlich müssen Sie das nicht. Aber Sie würden mir Unannehmlichkeiten ersparen. Die Aufsätze können ja vom Ministerium angefordert werden, und wenn einer fehlt...«

Sein Gesicht war ausdruckslos. Er wartete.

»Ja«, sagte ich.

»Ich erinnere mich gar nicht mehr daran, welches Thema Sie genommen hatten«, fuhr er fort. »War es nicht die Bildbeschreibung? So etwas liegt Ihnen ja besonders.«

Ich nickte.

»Sehr schön«, sagte er. »Dann schlage ich vor, dass wir heute Mittag beide hier bleiben und Sie den Aufsatz noch einmal schreiben. Ich werde versuchen, uns etwas zu essen zu besorgen. Schließlich ist es ja meine Schuld.«

Er lächelte. »Sie sehen, jeder hat mal Pech. Aber solange es sich reparieren lässt...«

Ich nickte wieder. Außer »Ja« hatte ich noch kein Wort herausgebracht.

»Ich finde, Sie haben sich verändert, Regine«, sagte er. »Ihr Vater ist vermisst, nicht wahr? In Russland? Ja, der Krieg verlangt uns allen viel ab.«

Ich schwieg.

»Aber der Endsieg ist ja nahe«, sagte er, und er meinte nicht Endsieg, sondern Ende. Er gab Signale und nahm an, dass ich zu denen gehörte, die den Code kannten und verstanden.

»Dann haben wir auch wieder mehr Zeit«, sagte er. »Und können uns sicher einmal in Ruhe unterhalten.« Er steckte eine Zigarette in den Mund, drückte die Streichholzschachtel unter seinen Armstumpf, zündete die Zigarette an, nickte mir zu und ging.

»Bis nachher«, sagte er.

In der Nacht erzählte ich es Jan, und er sagte das vom »Zeugnis geben«.

»Eines hast du damit erreicht«, sagte er. »Der Mühlhoff weiß jetzt, wie du denkst. Ihr seid schon zwei, vielleicht kann das nützlich sein. Aber du musst dich vorsehen, viel mehr vorsehen. Wir wollen keine Märtyrer werden, moje kochanie.«

Moje kochanie …

Ich höre seine Stimme.

»Moje kochanie«, sagt er. Es war so schön, wenn er das sagte.

Ob er ein Märtyrer geworden ist?

6

Es ist alles so schnell gegangen mit Jan und mir. In der Nacht der Luftangriff – am nächsten Tag die kurzen Sätze bei den Gewächshäusern …

»Warum nicht?«, sagte Gertrud. »So was kommt vor!«

Gestern Abend haben wir darüber gesprochen. Die Bäuerin lag schon im Bett. Gertrud, Maurice und ich saßen an dem großen Tisch und tranken

Stachelbeerwein. Sonnabends bleiben wir immer länger auf als sonst.

»Aber ausgerechnet bei mir«, sagte ich. »Ich verstehe das nicht. Ich bin doch nicht so.«

»Unsinn, ma petite«, sagte Maurice. »Natürlich bist du so. Wenn es sein muss, bist du so.«

»Liebe auf 'n ersten Blick«, sagte Gertrud. »Das gibt's. Mir ist es nie passiert. Ich bin wohl zu langsam. Wie 'ne Kuh.«

Maurice und ich fingen an zu lachen, und sie fragte: »Warum lacht ihr denn? So komisch ist das doch nicht.«

»Nein«, sagte Maurice. »Eine Kuh ist etwas sehr Schönes, chérie. Und wahrscheinlich hattest du es nie so eilig wie die Kleine.«

Gertrud wurde ärgerlich.

»Na hör mal!«, fuhr sie ihn an. »Du tust ja so, als ob sie läufig war.«

Maurice legte den Arm um sie und gab ihr einen Kuss auf die Nase.

»Jetzt bist du mal still«, sagte er und küsste sie auch noch aufs Ohr. Gertrud errötete, wie immer, wenn Maurice zärtlich zu ihr ist.

»Was der so alles macht«, hat sie neulich zu mir gesagt. »Wenn ich da an meinen denke, diese Axt im Walde. Na ja, der Mensch muss alles mal erleben.«

»Jetzt bist du still«, sagte Maurice. »Ich will mit der Kleinen reden. Hör zu, ma petite, ihr habt einen Dichter, er heißt Thomas Mann. Er schreibt Romane. Kennst du ihn?«

Ich schüttelte den Kopf.

»Natürlich nicht«, sagte Maurice. »Den hat euer Führer ja auch verboten. Er lebt jetzt in Amerika, und wenn der Krieg vorbei ist, wirst du seine Bücher lesen. Er hat sich viele Gedanken über die Zeit gemacht, wie schnell oder wie langsam sie vergeht, je nachdem. Und in einem seiner Bücher, dem Josephsroman, vier Bände sind das, da erzählt er von dem uralten Jakob, der über hundert Jahre geworden ist und alles in seinem Leben mit großer Gemächlichkeit getan hat, ganz ohne Hast. Und dann spricht Thomas Mann über Eile und Nicht-Eile. Ungefähr so: Die Seele kennt die Zeitspanne, die ihr für etwas bemessen ist, und danach bestimmt sie das Tempo. Und wenn sie weiß, dass ihr nur wenig Zeit bleibt – dass sie sich beeilen muss...«

»Was heißt hier wenig Zeit«, habe ich ihn unterbrochen. »Bis wohin? Bis zum Tod?«

Ich sah, wie Maurice erschrak. »Nein«, sagte er. »Natürlich nicht. Ich meine, Zeit für eine bestimmte Sache. Manchmal natürlich auch für das Leben.«

»Quatsch!«, fuhr Gertrud ihn an, »Regine lebt doch noch, du Döskopp«, und ich sagte: »Jan – vielleicht lebt Jan nicht mehr – vielleicht hatte er es darum so eilig. Nicht ich, sondern er.«

Ich legte meinen Kopf auf den Tisch und weinte.

»Aber ma petite«, sagte Maurice, und Gertrud fing an zu schimpfen.

»Da hast du's! Seele und Zeit und Tod – so ein

Quatsch. Das kommt von dem ganzen Bücher-kram, das habt ihr davon.«

Sie legte den Arm um mich und hob meinen Kopf hoch. Mit dem Zipfel der rot karierten Tischdecke wischte sie über mein Gesicht, unge-fähr so, wie sie Kälbchen trockenreibt. Obwohl ich heulte, dachte ich das. »Sei still, Regine«, mur-melte sie. »Der lebt schon noch, dein Jan. Der Krieg dauert nicht mehr lange, dann kommt er wieder, dein Jan, dann kommt er bestimmt wie-der.«

Danach haben wir noch eine Weile zusammen-gesessen. Geredet haben wir nicht mehr viel.

Keine Zeit. Das hatte Jan auch gesagt.

»Vielleicht haben wir nur ganz wenig Zeit, Regina...«

Am zwölften September, meinem Geburtstag, als ich zum zweiten Mal in die Gärtnerei kam, standen er und Steffens am Schuppen. Steffens hielt einen Sack auf, und Jan schaufelte Zwiebeln hinein.

»Tag, Reginchen«, sagte Steffens. »Da bist du ja. Jan hat mir schon gesagt, dass du da warst.«

Er warf mir ein paar Zwiebeln in meinen Korb.

»Ein hübsches Mädchen, was, Jan?«, sagte er.

Jan lächelte mich an und nickte.

»Was willst du denn haben?«, fragte Steffens.

»Was Sie mir geben«, sagte ich. »Rote Bete. Oder Karotten. Und Weißkohl.«

Steffens lachte.

»Hast du das gehört, Jan? Als ob sie die Einzige ist, die was will. Ich muss doch alles abliefern. Die haben schon jeden Kohlkopf gezählt.«

»Vielleicht ist doch noch einer übrig«, sagte ich. »Ich habe nämlich Geburtstag.«

»Nein so was!«, rief Steffens und ließ den Sack fallen. »Reginchen hat Geburtstag. Wie alt wirst du denn?«

»Siebzehn«, sagte ich.

»Siebzehn!« Er machte ein Gesicht, als sei vor mir noch nie ein Mensch siebzehn geworden. »Siebzehn, Jan! Wie alt bist denn du?«

»Zweiundzwanzig«, sagte Jan.

»Dann könntet ihr ja heute direkt zusammen tanzen gehen, wenn nicht so verrückte Zeiten wären«, sagte Steffens. »Na ja, kommt noch, vielleicht eher als wir denken. Aber einen Schnaps, den trinken wir jetzt.«

Er machte die Schuppentür auf. Als ich an ihm vorbeiging, kniff er mich in die Backe. »Siebzehn!«, sagte er, und ich fand ihn gar nicht mehr so widerlich.

Der Schuppen war zweigeteilt. Vorn lagerten Kisten mit Äpfeln und Birnen, mit Karotten, Kohl, Roter Bete, Zwiebeln. Dahinter war ein kleiner Raum mit einem Tisch, ein paar Stühlen, einer Art Schreibtisch und einem alten Ledersofa.

»Hier schlafe ich, wenn ich von meiner Frau mal nichts wissen will«, sagte Steffens und zwinkerte. »Also, her mit dem Schnaps!«

44

Er holte eine Flasche und Gläser aus dem Schreibtischfach und schenkte ein.

»Kirschlikör. Weiberzeug«, sagte er. »Prost! Und jetzt kriegst du einen Geburtstagskuss.«

Er nahm meinen Kopf in die Hände, und ich ließ es über mich ergehen.

»Na also«, sagte er. »Ein alter Esel braucht auch noch Futter. Und nun du, Jan.«

Er schob mich zu Jan hin.

»Nein, Herr Steffens«, sagte ich und machte mich los.

»Sie will nicht«, sagte er. »Warum nicht? Ist doch ein netter Junge.«

Ich sah Jan nicht an.

»Du solltest nicht so sein, Mädchen«, sagte Steffens. »Sind alles Menschen. Mein Sohn, der ist vermisst. Vielleicht sitzt er in russischer Gefangenschaft. Vielleicht ist zu dem auch mal wer nett.«

»Sie ist ja nett, Herr Steffens«, sagte Jan, und Steffens schlug ihm auf die Schulter und rief: »Wenn der Krieg aus ist, geht ihr zusammen tanzen. Prost!«

Er war ein bisschen betrunken. Das war er meistens.

Er goss noch einmal ein und ich hatte ein Gefühl, als ob das alles nicht wahr sein könnte. Du musst weggehen, dachte ich. Du darfst nicht hier bleiben. Ein Pole. Der Steffens ist verrückt…

Aber ich blieb. Wir saßen am Tisch, und Steffens sagte: »Na also, das ist doch gemütlich«, und sprach immerzu von seinem Sohn.

»Der ist so alt wie der Jan. Sieht ihm auch ähnlich. Als der Jan ankam, ich dachte, das ist er. Aber mein Günter sitzt ja bei den Russen. Er hat gesagt, er lässt sich von denen nicht gefangen nehmen, der Esel, von den Russen nicht. Vorher erschießt er sich…«

»Mein Vater auch«, sagte ich. »Der hat das auch gesagt.«

Steffens gab der Likörflasche einen Stoß. Wenn Jan sie nicht aufgefangen hätte, wäre sie runtergefallen.

»Dein Vater?«, sagte er. »Den kenne ich. Den habe ich schon gekannt, als er noch arbeitslos und halb verhungert war. Der hat doch später fast einen Zentner zugenommen. Jemand, dem es so gut schmeckt, der erschießt sich nicht. Mein Günter auch nicht. Der mag die Mädchen viel zu gerne.«

»Aber die Russen. Was die mit denen machen«, sagte ich. »Die sind doch…«

»Nein, nicht so etwas sagen, Regina«, unterbrach mich Jan. »Es gibt gute Russen, schlechte Russen, gute Polen, schlechte Polen…«

»Gute Deutsche, schlechte Deutsche«, fügte Steffens hinzu. »Und wenn dieser Krieg vorbei ist, jagen wir alle zum Teufel, die…«

Er schlug sich vor den Mund.

»Ich bin besoffen«, murmelte er. »Die hauen mir noch die Rübe runter, wenn ich so weitermache. Verpfeif mich bloß nicht, Reginchen.«

Er tätschelte mir das Gesicht, stand auf, ging nach draußen. Er hatte ein Glas Likör nach dem anderen getrunken. Die Flasche war fast leer.

»Er hat Angst um seinen Sohn«, sagte Jan. »Manchmal vergisst er sie, wenn er trinkt.«

Ich stand ebenfalls auf.

»Warten Sie, Regina«, sagte Jan. »Ich habe Ihnen noch nicht gratuliert.«

Er ging um den Tisch herum und kam auf mich zu.

»Viel Glück«, sagte er und küsste mich, ganz leicht, ich spürte es kaum.

»Aber…«, sagte ich.

»Pscht!« Er legte mir einen Finger auf die Lippen. »Nicht reden! Heute Abend um zehn, ja? Hier.«

Ich drehte mich um und lief aus dem Schuppen. Vor der Tür stand mein Korb, mit Kohl, Karotten und roten Rüben gefüllt. Steffens war nirgendwo zu sehen.

»Wo warst du denn so lange?«, fragte meine Mutter, als ich nach Hause kam.

»Steffens hat mir Likör angeboten«, sagte ich. »Zum Geburtstag.«

»Ist er dir etwa zu nahe getreten?«, fragte meine Mutter. Ich sagte Nein, und dass er eigentlich gar nicht so sei und dass er fast nur von seinem Sohn gesprochen hätte.

Sie nahm den Weißkohl aus dem Korb und starrte ihn an. »Das ist nun dein Geburtstag«, sagte sie. »Likör mit Steffens! Komm, wir wollen wenigstens zusammen Kaffee trinken.«

Sie hatte den Tisch im Wohnzimmer gedeckt. Neben meinem Teller lag ein Etui. Ich öffnete es und sah das Medaillon, das sie von meinem Vater zur Hochzeit bekommen hatte.

»Aber Mutti, das geht doch nicht«, sagte ich.

Sie fing schon wieder an zu weinen.

»Nimm es«, sagte sie. »Von Vati und mir.«

In dem Medaillon waren zwei Köpfe. Mein Vater und meine Mutter. Ganz jung. So jung wie Jan und ich.

Eigentlich hatte ich meine Freundinnen eingeladen. Doris, Ille, Gisela. Aber keine von ihnen hatte Zeit nach dem Angriff, alle waren mit Aufräumen beschäftigt, zu Hause oder bei Verwandten. Doris Weißkopf kam nur vorbei, um zu fragen, ob wir Pappe für ihre kaputten Fenster übrig hätten.

»Deinen Geburtstag holen wir nach«, sagte sie. »Den Kuchen können wir auch später essen.«

Der Kuchen war die Hauptsache. Es gab immer weniger Lebensmittel in der letzten Zeit. Manchmal hatten die Geschäfte nicht einmal mehr das, was einem auf Marken zustand.

Trotzdem brachte meine Mutter es fertig, zu den Festtagen Kuchen zu backen. Bienenstich, mit Haferflocken statt Mandeln, mit Sirup statt Zucker und Fett. Obstkuchen, nur aus Mehl, Magermilch und Äpfeln. Meine Mutter hatte ein Rezeptbuch, ›Für die deutsche Frau im Krieg‹, danach richtete sie sich.

»Für die deutsche Frau, die nichts zum Verkungeln hat«, schimpfte meine Großmutter, als sie es liegen sah. Aber meine Mutter wollte solche Worte nicht hören.

»Denk an Franz«, sagte sie. »Nach dem Sieg werden wir alles doppelt und dreifach haben, viel mehr als früher.« Sie sagte nie »nach dem Krieg«, immer nur »nach dem Sieg«. Das hat sie von meinem Vater übernommen. Genau wie ich. Auch ich habe früher »nach dem Sieg« gesagt. Als ich noch wollte, dass wir den Krieg gewinnen. Vor Jan.

»Vor Jan. Nach Jan«, sagte Gertrud einmal. »Wie das klingt. Wie vor Christus, nach Christus.«

»Genau«, sagte Maurice. »So ist es ja auch für sie. Eine Zeitenwende.«

7

»Nach dem Sieg«, sagte ich in der Zeit vor Jan, und Doris fand es komisch.

»Nach dem Sieg! Das klingt so pathetisch.«

»Wenn man daran glaubt, soll man es auch sagen. Muss man sogar«, sagte ich, und Doris grinste.

Sie tat immer ein bisschen spöttisch, genau wie ihr Vater, der einen Schmiss im Gesicht hat und Tierarzt ist. Auch einer, der nicht in den Krieg brauchte. Obwohl er gleichzeitig Veterinär der

Steinbergener Garnison war und bei manchen Gelegenheiten eine Offiziersuniform trug.

»Dabei haben die gar keine Pferde mehr«, sagte Doris. »Nur ein paar Hunde.«

Wenn Doris Geburtstag hatte, gab es immer richtigen Kuchen, weil Dr. Weißkopf von den Bauern Mehl, Eier und Fett bekam.

»Das sollte man mal melden«, schimpfte meine Mutter. »Diese Akademiker. Die denken immer noch, dass sie was Besseres sind. Die sind gar keine richtigen Nationalsozialisten, die tun bloß so. Denen ging es ja gut früher. Die brauchten nicht zu kämpfen wie wir.«

Doris hat gelacht, als ich ihr das erzählte.

»Deine Mutter mit ihren Komplexen«, sagte sie. »Mein Vater ist in der Partei. Und Kassenwart im NS-Ärztebund. Und Reserve-Offizier. Der ist alles, was nötig ist. Von wegen kein Nationalsozialist.«

»Also«, sagte ich. »Wie sich das wieder anhört!«

Dann lachten wir beide. Ich nahm ihre Redereien nicht ernst. Ich hatte damals noch kein Ohr für Signale. Sogar, als Doris mich einmal auf die andere Seite zog, habe ich es nicht gemerkt.

Das war im Juni, kurz vor der Erntehilfe. Die Sache mit Fräulein Rosius.

Fräulein Rosius, Studienrätin, schlank, zierlich, noch nicht alt, aber schon mit weißen Haaren. Sie unterrichtete Biologie und Chemie. Sie war großzügig, hilfsbereit, nahm Kleinkram nicht wichtig. Wenn ihr etwas nicht passte, konnte sie bissig werden. Es war nie langweilig in ihren Stunden. Ihretwegen wollte ich Chemie studieren.

In Biologie war in diesem Halbjahr Rassenkunde an der Reihe. Rassenkunde, das wussten wir schon, mochte Fräulein Rosius nicht.

»Meiner Meinung nach gibt es interessantere Dinge«, sagte sie zur Einleitung. »Aber es steht im Lehrplan. Also, es hat sich ja schon herumgesprochen, dass verschiedene Rassen existieren. Ostisch, westisch, dinarisch. Ja, und natürlich die nordische Rasse. Die ist ja die Hauptsache in der ganzen Menagerie.«

Wir lachten. Aber natürlich war es lästerlich, ungefähr so, als ob sich ein Pastor oben auf der Kanzel über den Heiligen Geist lustig machte.

»Ganz so braucht sie es auch nicht zu treiben«, sagte ich zu Doris.

Doris lachte immer noch.

»Menagerie! Das finde ich gut«, sagte sie.

»Menagerie – wie meinen Sie das eigentlich?«, fragte Ilse Mattfeld.

Fräulein Rosius sah sie an und lächelte.

»Wie schön, dass Sie sich auch mal am Unterricht beteiligen«, sagte sie.

Ilse Mattfeld war erst im Frühjahr zu uns gekommen, aus Berlin, und wohnte bei Verwandten. Bis jetzt war sie kaum aufgefallen. Mit verschränkten Armen saß sie auf ihrem Platz, meldete sich nie, stand auch in den Pausen abseits.

Doris und ich mochten sie nicht.

»Also, wenn du mich fragst, die pumpt«, sagte

Doris. »Wie ein Maikäfer vorm Fliegen. Mit der erleben wir noch was.«

Nach dieser Biologiestunde stellte Ilse Mattfeld sich vor die Klasse und fragte: »Ist euch eigentlich nie aufgefallen, dass die Rosius nicht ›Heil Hitler‹ sagt?«

Ilse Mattfeld hatte Recht. Fräulein Rosius hob, wenn sie hereinkam, zwar die Hand, machte dann aber eine Art Abwinken daraus und murmelte: »Setzen.« Es war uns tatsächlich nicht aufgefallen. Wir hörten so viel und so oft »Heil Hitler«. Wo man ging und stand, überall »Heil Hitler«. Man nahm es kaum noch wahr.

»Das ist unglaublich«, sagte Ilse Mattfeld, und ich stimmte ihr zu.

»Ihr spinnt ja«, schimpfte Doris nach der Stunde. »Der Rosius passiert das doch nur aus Trottelei. Die ist doch nicht blöd und tut so was mutwillig.«

»Ich weiß nicht…«, sagte ich.

»Vielleicht ist ihr der Name auch zu heilig«, meinte Doris. »So im Sinne von: Du sollst den Namen deines Herrn nicht unnütz im Munde führen, oder wie es heißt.«

»Also, manchmal redest du einen Mist«, sagte ich. »Lass das bloß nicht Ilse Mattfeld hören.«

Es war die große Pause. Wir standen auf dem Schulhof und aßen unser Frühstücksbrot. Doris hatte eines mit Landleberwurst – Patientenwurst nannte sie es – und gab mir die Hälfte ab.

»Besser als NS-Gummiwurst, was?«, sagte sie. »Also, ich finde, wir sollten sie warnen.«

»Wen?«, fragte ich. »Die Rosius?«

»Wir mögen sie doch«, sagte Doris. »Soll die etwa reinrasseln? Bloß aus Trottelei? Und wegen der Mattfeld? Wir reden mit ihr, und wenn sie dann immer noch ›setzen‹ sagt, ist es ihre eigene Schuld.«

Am Nachmittag gingen wir hin. Fräulein Rosius wohnte nicht weit von der Post, in einem alten Fachwerkhaus. In ihrer Wohnung standen Biedermeiermöbel.

»Von meinen Großeltern«, sagte sie. »Mögt ihr eine Tasse Tee?«

»Danke«, sagte Doris. »Wir haben nicht viel Zeit.«

»Was gibt es denn? Kann ich euch irgendwie helfen?«

»Danke«, sagte Doris wieder. »Eigentlich wollten wir Ihnen einen Rat geben.«

»Ach?«, machte Fräulein Rosius erstaunt, und als sie hörte, um was es sich handelte, sagte sie noch einmal: »Ach.« Mehr nicht.

»Ja, dann gehen wir wieder«, sagte Doris.

Fräulein Rosius brachte uns zur Tür.

»Danke, dass ihr gekommen seid«, sagte sie. »Das war wirklich sehr hilfreich. Ihr habt Recht, ich darf nicht so zerstreut sein.«

Ich hatte die ganze Zeit geschwiegen.

Als wir auf die Straße kamen, sah ich mich um. Ich fürchtete, dass Ilse Mattfeld uns sehen könnte.

Ich hatte zum ersten Mal einen Fuß auf die andere Seite gesetzt. Der Wechsel war mir nur nicht klar geworden. Ich bin auch gleich wieder zurückgewichen, glaubte weiter, was meine Eltern glaubten, was in unseren Büchern stand, was wir sangen, im Radio hörten, in den Zeitungen lasen, was uns beim BDM gepredigt wurde.

Die Juden sind unser Unglück.

Die Deutschen sind besser als andere.

Der Führer weiß alles.

Der Führer wird uns zum Sieg führen.

Du bist nichts, dein Volk ist alles.

Ein Volk, ein Reich, ein Führer.

Ich sehe uns in unseren BDM-Uniformen, dunkelblaue Röcke, weiße Blusen, schwarze Halstücher, im Kreis um die Fahne stehen, den Arm zum Hitlergruß erhoben.

»Unsere Fahne flattert uns voran«, singen wir.

»Unsere Fahne ist die neue Zeit.

Und die Fahne führt uns in die Ewigkeit,

ja, die Fahne ist mehr als der Tod.«

»Hast du denn wirklich daran geglaubt?«, fragt Maurice.

»Ja«, sage ich. »Und ich war glücklich dabei. Ich fand es schön, mitzumachen, dazuzugehören. Wenn wir bei der Fahne standen und sangen, das war für mich so etwas wie Kirche. Feierlich. Direkt heilig. Diese Lieder. ›Nur der Freiheit gehört unser Leben, lasst die Fahnen dem Wind…‹«

»O Gott, o Gott«, stöhnt Gertrud.

»Die Lagerfeuer nachts – Teil einer Gemeinschaft zu sein…«

»Hör bloß auf«, sagt Gertrud.

»Aber so war es doch«, sage ich. »Bei mir jedenfalls. Vielleicht brauchte ich etwas, woran ich glauben konnte. Ich wusste doch nicht, was dahinter steckt.«

»So ein schöner roter Appel«, sagt Gertrud. »Und innen faul.«

»Sei froh, dass du es hinter dir hast«, sagt Maurice. »Du warst blind wie eine junge Katze. Endlich kannst du sehen.«

»Aber meine Eltern waren keine jungen Katzen. Und trotzdem blind.«

»Wenn dein Vater Glück gehabt hat und in Gefangenschaft sitzt, sind dem inzwischen auch die Augen aufgegangen«, sagt Gertrud. »Die meisten kneifen sie bloß so lange zu, wie es ihnen in den Kram passt.«

Meinen Eltern hat es in den Kram gepasst.

»Gut, dass der Führer gekommen ist«, lautete ein Spruch meiner Mutter. »Sonst wären wir wahrscheinlich verhungert.«

Aber darf man deswegen so blind sein?

Einmal fiel bei uns das Wort Konzentrationslager.

»Natürlich«, sagte meine Mutter. »Da kommen die Juden und Kommunisten hin, damit sie arbeiten lernen. Das ist auch nötig.«

Das glaubte sie. Mehr wusste sie nicht. Sie hörte keinen ausländischen Sender, sie las nicht viel, sie kannte niemanden, der ihr die Wahrheit sagte.

Aber zu wissen, dass Menschen in ein Lager gesteckt werden – reicht das nicht schon? So etwas zu wissen und es gutzuheißen...

Hätte sie vielleicht noch mehr gutgeheißen?

»Sei still«, fuhr sie mich an, als ich versucht habe, mit ihr darüber zu sprechen. »Der Führer weiß, was er tut.«

»Du darfst sie nicht verurteilen«, sagt Jan. »Bald werden alle die Wahrheit erfahren. Dann musst du ihr helfen.«

Wir liegen auf dem Sofa im Schuppen. Es ist dunkel. Ich sehe ihn nicht. Ich fühle ihn nur, seine Haut, seine Haare, die Warze an seiner Schulter.

»Nicht verurteilen«, sagt er.

1939, kurz nach dem Einmarsch in Polen, haben SS-Leute seinen Vater umgebracht. Er war Geologie-Professor an der Universität in Krakau. Sie haben ihn aus der Wohnung geholt, zusammen mit anderen Professoren, mit Rechtsanwälten, Ärzten, Kaufleuten, Ingenieuren. Manche wurden verschleppt, ins KZ gebracht. Viele erschossen.

»Sie lagen am Waldrand«, sagt Jan. »Ich habe damals nicht verstanden, warum mein Vater dabei war. Er hatte sich nie mit Politik beschäftigt, nur wissenschaftliche Bücher geschrieben. Er gehörte zu den bekanntesten Gelehrten in Polen. Später begriff ich, dass das der Grund war. Unsere Intelligenz sollte ausgerottet werden.«

»Nicht verurteilen?«, sage ich. »Aber auch meine Eltern sind schuld. Alle zusammen sind schuld.«

»Was heißt Schuld?«, sagt Jan. »Auch Polen haben Deutsche getötet. Hass gegen Hass und immer wieder nur Hass. Einer muss Schluss machen damit. Kennst du das Märchen vom Rattenfänger?«

»Ja. Aber meine Eltern waren keine Kinder mehr.«

»Viele Leute werden nie erwachsen. Sie laufen hinter jedem her, der ihnen etwas verspricht.«

Ich streichele ihn.

»Du solltest Pastor werden.«

»Vielleicht«, sagt er. »Aber kein katholischer. Dann darf ich keine Regina mehr lieben.«

Das war in unserer letzten Woche, kurz vor dem Ende. Ob er noch lebt? Ob er immer noch verzeihen kann? Ich habe solche Sehnsucht nach ihm.

Ich mache die Augen zu. Ich höre seine Schritte. Er kommt. Wir gehen zusammen fort. Wir fangen alles ganz neu an.

8

Gertrud war in der Stadt und hat meine Mutter getroffen. In der Nähe des Bahnhofs. Meine Mutter wollte an ihr vorbeilaufen, aber Gertrud hat sie angehalten und gesagt: »Sie sind doch die Mutter von der Regine. Sie haben sie doch mal bei uns besucht im Sommer. Wie geht's denn?«

Meine Mutter hat angefangen zu weinen und geflüstert: »Wissen Sie denn nicht, was mit Regine passiert ist?« Dann hat sie ihr alles erzählt, von dem Polen, der mich verführt hat, auf den ich hereingefallen bin, ohne zu ahnen, was ich da tue.

»Aber kein böses Wort über dich«, sagt Gertrud. »Nur immer: das arme Kind.«

Meine Mutter hält mich für tot, so, wie alle in der Stadt glauben, dass ich bei dem großen Luftangriff umgekommen bin.

»Wahrscheinlich war es das Beste für Regine«, hat sie gesagt und immer lauter geweint. »Wenn ich mir vorstelle, was sie mit dem armen Kind gemacht hätten.«

Sie tut mir so Leid. Erst mein Vater. Dann ich.

Aber nicht einmal sie darf wissen, dass ich noch lebe.

Ich denke über meine Eltern nach. Mein Vater, meine Mutter, beide Jahrgang 1905, aufgewachsen im vorigen Krieg, so wie ich in diesem. Der Vater meiner Mutter war Tischler, der meines Vaters

Kutscher. Sie wohnten in derselben Straße und haben schon als Kinder zusammen gespielt.

»Ich hatte nie einen anderen«, sagte meine Mutter jedes Mal, wenn sie von früher erzählte. »Immer nur ihn.« 1927 mussten sie heiraten, wegen mir.

»Eigentlich waren wir ja viel zu jung«, sagte meine Mutter. »Und so wenig Geld. Die paar Kröten, die Vati verdient hat – das langte knapp für Stube und Küche.«

Damals war mein Vater Buchhalter in einer Eisenwarenhandlung. Und 1929, gleich zu Beginn der großen Wirtschaftskrise, wurde er arbeitslos. Da hatten sie gar nichts mehr. Sie zogen in eine winzige Kammer, das Fenster ging ins Treppenhaus. Mein Vater versuchte alles Mögliche, aber es gab keine Arbeit, auch für meine Mutter nicht.

»Zuerst habe ich bei anderen Leuten sauber gemacht«, sagte sie. »Doch alle Stellen gingen flöten. Keiner hatte ja Geld.«

Wieder und wieder hat sie mir diese Geschichten erzählt.

»Mutti, erzähl von früher«, bettelte ich, und dann fing sie an, fast immer mit den gleichen Worten. Von der Unterstützung, die immer nur drei Tage reichte, und wie sie nur noch einen einzigen Hering zu essen hatten und mein Vater den an die Wand geschmissen hat vor Verzweiflung. »Schließlich konnten wir nicht mal mehr das elende Loch von Wohnung bezahlen und mussten wieder zu unseren Eltern ziehen. Ich zu meinen, er zu seinen.

Und du noch so klein, über drei Jahre hat das gedauert, das soll mal erst einer mitmachen.«

Ich erinnere mich noch daran. Wir schliefen bei meinen Großeltern auf dem Sofa, ich mit dem Kopf dort, wo die Füße meiner Mutter lagen. Am Tag musste ich still sitzen, weil meine Großmutter Angst um die Möbel hatte. Ich höre noch ihre Stimme: »Ein Kratzer im Vertiko!« Sie kniet auf dem Boden, in der Hand den Lappen mit Politur, ihr grauer Dutt wippte auf und ab, und ich bekomme keinen Apfel, weil ich den Kratzer ins Vertiko gemacht habe. Ich habe Angst vor meiner Großmutter. Manchmal, wenn mein Vater da ist, muss ich bei ihr im Bett schlafen. Deshalb will ich nicht, dass mein Vater kommt.

Mein Vater wohnte nur ein paar Häuser weiter. Aber wir besuchten ihn nie, weil seine Mutter uns nicht hereinließ.

»Sie wollte nicht, dass er mich heiratet«, sagte meine Mutter. »Es sollte eine mit Geld sein. Aber er hat mich genommen, und dann musste er wieder bei der Alten unterkriechen. Ich glaube, wenn du nicht da gewesen wärst, hätte er sich aufgehängt. So fertig war der Mann. Dünn wie ein Strich, keine Kraft mehr in den Knochen, keine Hoffnung. Aber zum Glück ist ja der Führer gekommen.«

Ich habe es so oft gehört, dass ich es auswendig weiß. »Dann ist der Führer gekommen und Vati ist SA-Mann geworden, 1930 schon, es gibt nicht viele, die schon so lange dabei sind. Richard Bösenberg hat ihn mitgenommen, und Vati hat noch am selben Abend gesagt: ›Hitler, der tut was für uns, der zieht uns raus aus dem Schlamassel, der macht das Leben wieder lebenswert für uns Deutsche.‹ Und damit hat Vati ja auch Recht behalten. Bis 1933, das war eine schlimme Zeit. Aber dann ging es aufwärts.«

Wenn meine Mutter so weit gekommen war, sah sie sich jedes Mal im Zimmer um. Ihr Blick ging von einem Möbelstück zum anderen, bis zu dem großen Führerbild über dem Schreibtisch, und sie wiederholte: »Ja, aufwärts. Und das kann nur einer verstehen, der das alles mitgemacht hat.«

Die Wohnung haben wir 1933 bekommen, gleich nach der Machtergreifung, als mein Vater Bürovorsteher in der Konservenfabrik wurde. Esszimmer, Herrenzimmer, Schlafzimmer, Kinderzimmer, Küche, Bad. Die Möbel hat mein Großvater gemacht, das hatte er meiner Mutter von Anfang an versprochen, und das Holz lag schon lange bereit. Buffet, Anrichte, Bücherschrank, alles schwer und dunkel, mit Schnitzereien an den Türen. »Altdeutsch«, nennt meine Mutter das. »Jedes Stück Qualität«, sagt sie. »Kein Fabrikschund wie bei den meisten Leuten.«

Sie war so stolz auf ihre Wohnung und ihre Möbel.

»Das alles haben wir dem Führer zu verdanken«, sagte sie einmal, als die Sonne auf ihr Buffet schien.

Sogar mein Vater hat sich darüber amüsiert. Seitdem war es bei uns ein geflügeltes Wort. Wenn es zum Beispiel etwas Gutes zu essen gab, blickten wir gen Himmel und seufzten: »Das alles haben wir dem Führer zu verdanken!«

Aber obwohl er einen Jux daraus machte – im Grunde glaubte mein Vater genauso daran wie sie.

Ich auch. Mit all diesen Geschichten meiner Mutter im Kopf! Und es ging uns gut. Bürovorsteher. Das war etwas. Und ich sogar auf der Oberschule.

»Aber der Krieg«, sagte Jan. »Als der Krieg begann, habt ihr da nicht gemerkt, was für einen Preis ihr zahlt?«

»Ich war doch erst zwölf. Was sollte ich merken? Den Krieg hätten sie uns aufgezwungen, sagten meine Eltern, aus Neid, weil Deutschland wieder etwas darstellte in der Welt.«

»Und als dein Vater eingezogen wurde? Und als der Brief kam, dass er vermisst wurde?«

Maurice hat mich das Gleiche gefragt.

»Meine Frau hat geweint«, sagte Maurice. »Drei Tage lang. Sie wollte mich nicht weglassen. Versteck dich irgendwo, hat sie gesagt, die sollen ihren Krieg allein machen.«

Meine Mutter hat auch geweint. Mehr weiß ich nicht.

»Vielleicht will sie nicht zugeben, dass sie sich geirrt hat«, meint Maurice. »Vor dir nicht und vor sich selbst nicht.«

»Aber du bist doch älter geworden.« Jan

hörte nicht auf zu bohren. »Du hast denken gelernt.«

Denken gelernt? Mathematik und Französisch und Englisch, das ja. Aber doch nicht denken. Vielleicht ging es Doris besser. Bei ihr zu Hause wurden sicher andere Gespräche geführt als bei uns. Aber auch nur, wenn Fenster und Türen geschlossen waren. Und Leute wie Dr. Mühlhoff, die haben ihre wirkliche Meinung verborgen.

»Doch nicht alle!«, sagte Jan, der es nicht begreifen konnte, weil er in einem anderen Land aufgewachsen ist. »Denk doch an den 20. Juli. So ein Attentat, dazu gehört doch eine große Gruppe. Nicht nur ein paar Einzelgänger.«

Das Attentat auf Hitler. Ich weiß. Bei den Steinbergenern habe ich nichts als Jubel gehört über die glückliche Rettung des Führers.

Aber vielleicht waren sie nur so, weil wir so waren. Vielleicht hatten sie Angst vor uns. Jetzt kenne ich auch andere, Dr. Mühlhoff, Gertrud, Steffens. Vorher haben sie sich nicht zu erkennen gegeben.

»Klar«, sagt Gertrud. »Ich bin doch nicht lebensmüde.«

»Natürlich halte ich den Mund«, sagte auch Steffens. »Vorsicht, Feind hört mit.«

Seit meinem Geburtstag saßen wir öfter zusammen im Schuppen. Eigentlich jedes Mal, wenn ich Gemüse holte. Steffens wusste, was zwischen Jan und mir war. Zuerst hat er geschwiegen, aber so, wie er uns ansah, mit dieser Mischung aus Wohlwollen und Sorge… Doch, er wusste es von Anfang an. Er hatte auch keine Hemmungen mehr, in meiner Gegenwart über Hitler und alles, was mit ihm zusammenhing, zu schimpfen – leise, damit nichts aus dem Schuppen nach draußen drang.

»Ich bin doch nicht lebensmüde«, sagte er, genau wie Gertrud. »Die wissen doch, dass ich ein alter Sozi bin. Nach der Machtergreifung habe ich meine Abreibung gekriegt. Und wie! Das hat gereicht. Dein Vater war übrigens auch dabei.«

»Mein Vater?«, fragte ich. »Wieso mein Vater? Der doch nicht!«

»Na klar«, sagte Steffens. »Als SA-Mann. Die Nazis und die Roten, die hatten doch dauernd Prügeleien. Dreiunddreißig war das vorbei, da durften nur noch die Nazis prügeln. Die haben ganz schöne Treibjagden gemacht.«

»Aber doch nicht mein Vater!«, rief ich wieder.

»Reg dich nicht auf, Reginchen«, sagte Steffens. »Das ist längst vorbei. Dein Vater war nicht der Schlimmste, und inzwischen ist er ja auch ruhiger geworden. Damals hatte er sowieso einen Rochus auf mich. Ich habe ihn mal erwischt, als er bei mir aus dem Stall ein Huhn holen wollte. Das konnte er nicht vergessen.«

Mein Vater, Bürovorsteher, der nie ohne Hut auf die Straße ging, auch wenn er nur vom Haus in die Fabrik musste.

Wir sind doch wer, Regine, vergiss das nicht.

Einmal hat er eine Schreibhilfe wegen einer einzigen Briefmarke entlassen.

Wer eine Briefmarke nimmt, nimmt auch mehr. Mit Kleinigkeiten fängt es an.

Geh nicht zu den Kindern von Schmieders, Regine. Das ist kein Umgang für dich. Der Schmieder hat mal gestohlen.

Merk dir die Worte mit ehr, Regine. Ehrlich, ehrbar, ehrfürchtig, ehrgeizig, ehrvergessen...

»Mein Vater klaut doch keine Hühner!«, sagte ich.

»Das ist nun aber mal so«, sagte Steffens. »Er hatte damals Hunger. Deine Mutter auch. Und du. Da tut man manches. Schade, ich hätte ihm das Huhn geben sollen. Dann hättest du wenigstens mal was in die Knochen gekriegt. Aber ich hatte ja keine Ahnung, wie das ist. Wir hatten immer genug zu essen. Und ich hatte schon damals meinen Bauch.«

Er tätschelte mir den Rücken.

»Lass man, Reginchen, das sind olle Kamellen. Dein Vater, der hat dann ja auch seinen Bauch gekriegt und wir haben uns wieder vertragen. Die haben sich alle wieder mit mir vertragen. Der hat sich den Sozi abgewöhnt, haben sie gedacht. Stimmt ja auch, wenigstens äußerlich. Darum sitze ich hier so gemütlich.«

Steffens goss sich das Glas voll und trank es aus. Er war schon wieder betrunken.

»Ein paar von meinen Genossen, die waren anders«, sagte er. »Nicht solche Schweine wie ich.

Die sitzen jetzt im KZ oder sind längst krepiert. Und dein Vater, der alte Nazi, sitzt bei den Russen, wenn er noch lebt. Vielleicht zusammen mit meinem Günter. Und wenn das alles nicht eine Riesenschweinerei ist…«

Am Abend wollte ich meine Mutter fragen, ob es wirklich so gewesen ist. Ob mein Vater Hühner gestohlen und Leute verprügelt hat. Aber ich tat es nicht. Als ich nach Hause kam, saß sie vor dem Schreibtisch, auf dem Vaters Bild stand.

»Der Bauer Hille will schlachten und braucht Konservenbüchsen für die Wurst«, sagte sie. »Für zehn Stück würde er mir eine Ente geben. Aber ich habe bloß sieben. Vielleicht treibe ich noch drei auf.«

Sie nahm das Bild in die Hand und fing an zu weinen. »Entenbraten! Das war Vatis Lieblingsessen.«

Immer, wenn es etwas Besonderes zu essen gab, sprach sie von meinem Vater. Essen und trinken war das Wichtigste für die beiden, glaube ich.

»Ihr verfresst euer ganzes Geld«, hatte meine Großmutter oft geschimpft.

»Lass doch«, sagte meine Mutter dann. »Franz will das. Wir haben lange genug gedarbt.«

Sie war stolz gewesen auf seinen Bauch.

»In drei Jahren hat er neunzig Pfund zugenommen. Das soll mir mal einer nachmachen!«

Und dann, als er Soldat wurde und nach einem

halben Jahr auf Urlaub kam, war der Bauch weg. Ich habe meinen Vater kaum wieder erkannt. Kein Bauch mehr, kein Doppelkinn, keine Hänge- backen und Speckfalten.

»Du siehst prima aus!«, sagte ich. »Direkt jung. Wie auf eurem Hochzeitsbild.«

Aber meine Mutter weinte um den verlorenen Bauch.

Ich stelle mir vor, dass wir verheiratet sind, Jan und ich. Ein Zimmer mit hellen Möbeln, Bücher- regale, ein bunter Teppich, an der Wand die Son- nenblumen von van Gogh. Wir haben keine Kin- der, nur uns beide. Wir studieren noch. Jan Jura, ich vielleicht Chemie. Abends kommen wir nach Hause. Wir kochen. Wir essen. Es ist schön, zusammen zu essen. Aber nicht so wichtig wie bei meinen Eltern. Jan soll keinen Bauch bekommen. Er soll bleiben, wie er ist, mir im Sessel gegenüber- sitzen, die Schultern vorgebeugt, mit mir sprechen, mit mir denken, mich lieben, in unserer Wohnung, ohne Angst. Auf dem Sofa im Schuppen hatte ich immer Angst.

9

»Hab keine Angst«, sagte Jan, als ich am ersten Abend zu ihm kam, außer Atem, weil ich so schnell gelaufen war.

Ich hatte den Weg durch den Vorgarten genommen. Wir wohnten parterre, vor dem Wohnzimmer war eine kleine Terrasse mit einer Treppe. Meine Mutter ging meistens vor mir zu Bett, schon kurz nach neun, und hörte nichts mehr. Nur die Sirenen weckten sie auf.

Jan wartet vor dem Schuppen. Er zieht mich herein, schließt die Tür.

»Ich muss gleich wieder gehen«, sage ich.

»Du bist doch gerade erst gekommen«, sagt er.

»Und wenn es Alarm gibt?«

»Dann kannst du schnell nach Hause laufen. Du warst spazieren. Frische Luft zu schnappen, ist nicht verboten.«

»Und du? Du hast doch keinen Ausgang am Abend.«

»Ich kenne ein Loch in der Mauer.«

Im Schuppen brennt eine kleine Kerze. Jan hat die Fenster mit Säcken verhängt. Es ist kühl. Der nackte Boden, das schäbige Sofa – ich möchte wieder gehen.

»Wir sind sicher hier«, sagt Jan.

»Und Steffens?«

»Steffens meint es gut.«

»Du kennst ihn doch kaum.«

»Trotzdem.« Jan lächelt mich an. »Ich weiß es.«

Wir hatten uns gegenübergestanden wie zwei Fremde, die miteinander verhandeln, abwägend, sachlich. Aber als Jan lächelte, wurde es plötzlich wärmer und alles verwandelte sich. Die Kerze warf einen Schimmer über die Säcke, das Sofa, den Tisch. Der Schuppen sah wie eine Bleibe aus. Ich wollte nicht mehr gehen.

Ja, so war es.

»Komm.« Jan rückt mir einen Stuhl hin. Er setzt sich an die andere Seite des Tisches, mir gegenüber, legt die Arme auf die Platte, sieht mich an.

»Du bist so schön im Kerzenlicht«, sagt er. »Ich kannte ein Mädchen zu Hause, das war dir ähnlich.«

»Wo ist sie?«, frage ich.

»Ich weiß nicht. Aber du bist ja da.«

Er schiebt die Hände über den Tisch und legt sie auf meine.

»Danke, dass du gekommen bist.«

»Ich wollte es nicht«, sage ich. »Jetzt eigentlich auch nicht. Ich finde es schrecklich, dass ich hier bin.«

»Wegen dem hier?« Er zeigt auf das P.

Ich nicke.

»Es ist verboten«, sage ich. »Das ist ja auch richtig. Es ist Krieg. Da geht so was doch nicht. Es ist unrecht. Unsere Soldaten … und mein Vater, wenn der wüsste…«

Ich rede und rede und merke, dass ich schon nicht mehr daran glaube.

»Sei still, Regina«, sagt Jan. »Der Krieg ist unrecht, nicht, dass du bei mir bist.«

Er fährt mit dem Zeigefinger über meine Hand.

»Es ist das erste Mal, dass ich mit einem deutschen Mädchen zusammensitze«, sagt er. »Und ich bin schon vier Jahre hier.«

»Vier Jahre?«, frage ich und erschrecke vor dieser langen Zeit.

»Vier Jahre«, sagt er. »Vor vier Jahren haben sie mich geholt. Als ich aus dem Kino kam. Ich konnte mich nicht mal von meiner Mutter verabschieden.«

»Nein!«, sage ich.

»Doch, so war es«, sagt er. »Meine Mutter ist inzwischen gestorben.«

Sein Finger streicht weiter über meine Hand.

»Willst du jetzt lieber gehen?«

Ich stehe da und weiß keine Antwort.

»Wenn du willst, sind wir vernünftig«, sagt er. »Du gehst nach Hause, und Steffens schickt mich wieder in die Fabrik zurück.«

»Nein«, sage ich.

Er sieht mich an mit seinen hellen Augen.

»Es ist gefährlich.«

»Für dich auch«, sage ich. »Hast du Angst?«
Er nickt.

»Das ist mir aber egal.«

»Mir auch«, sage ich.

Er zieht meine Hand zu sich heran und legt sein Gesicht darauf. Eine ganze Weile sitzen wir so, ich weiß nicht, wie lange.

»Du musst gehen«, sagt er. »Es ist schon nach elf.«

Ich stehe auf.

»Kommst du morgen wieder?«, fragt er.

Ich nicke.

Er bringt mich zur Tür und streicht über mein Gesicht.

»Gute Nacht, moje kochanie.«

»Was heißt das?«

»Das lernst du morgen«, sagt er.

Manchmal träume ich von Jan und mir. Er steht vor mir, er streckt die Hände aus, ich spüre ihn, ich sehe seine Augen, höre seine Stimme.

Aber der Traum endet fast immer schrecklich.

10

Es ist Februar. Ich bin schon vier Monate hier auf dem Henninghof. Der Krieg geht weiter. Die Amerikaner und Engländer rücken tiefer nach Deutschland ein. Die Russen haben Breslau eingeschlossen. Aus dem Radio kommen Durchhalteparolen und Meldungen von schrecklichen Greueln der Bolschewisten.

Seit gestern schneit es wieder, dicke Flocken, fast wie Pfennigstücke. Sie wirbeln in Kreisen vor meinem Fenster. Die Straße liegt noch verlassener da als sonst. Nur der Trupp Volkssturmmänner kommt morgens und mittags vorbei, die alten, nicht mehr kriegsdiensttauglichen Männer aus Gutwegen und Umgebung, die »mit ihrem Rheumatismus die Heimat verteidigen sollen«, wie Gertrud es ausdrückt. Auch ein paar ganz Junge sind dabei, Fünfzehn- oder Sechzehnjährige. Sie haben keine Uniformen, nur Armbinden und ein paar Gewehre. Später sollen sie noch Panzerfäuste bekommen. Sie gehen vorbei, die meisten mürrisch und schweigend, und die Straße ist wieder leer.

Ich denke an den Winter vor einem Jahr. Die Tannen- und Buchenäste im Steinbergener Bürgerpark hängen tief nach unten, so viel Schnee liegt darauf. Wir sind sieben: Doris, Ille, Gisela, ich, Hotte Berg und die beiden Jochen. Jochen Schmidt, Jochen Creutzer. Nur Rolli Voß fehlt, sonst wäre unser Tanzkurs komplett gewesen.

Tanzstunde. Habe ich wirklich einmal Tanzstunde gehabt? Das Creutzersche Esszimmer, der Tisch ist beiseite geschoben, der Teppich aufgerollt. Eins, zwei, drei, eins, zwei, drei zählt die Stimme der Tanzlehrerin, und Jochen Creutzer tritt mir auf den Fuß.

Offizielle Tanzstunden gab es damals schon nicht mehr. Aber Jochen Creutzers Mutter hatte einen Privatkurs organisiert. Sie war eigens zu meiner Mutter gekommen, um mich einzuladen.

»Die Jungen werden doch im Herbst Soldaten«,

hatte sie gesagt. »Da wäre es schön, wenn sie noch diese Freude hätten.«

Meine Mutter war ganz ergriffen. Frau Dr. Creutzer, die Frau des Chefarztes vom Johanniter-Krankenhaus! »Ihr Herr Gemahl hat mir die Gallenblase herausgenommen«, sagte sie.

Ihr Herr Gemahl! Es war mir furchtbar peinlich.

»Wirklich?«, sagte Frau Creutzer. »Geht es Ihnen wieder gut? Und Regine darf doch dabei sein, nicht wahr? Jochen möchte es so gern.«

Sie lächelte mir zu, beinahe schwiegermütterlich, und meine Mutter nickte, obwohl wir damals gerade die Nachricht bekommen hatten, dass mein Vater vermisst wurde.

»Ich weiß nicht, ob es Vati recht wäre«, sagte sie, als Frau Creutzer gegangen war. »Aber vielleicht möchte er auch, dass du was von deiner Jugend hast. Und er hat ja immer große Stücke auf Dr. Creutzer gehalten.«

Die Tanzstunde fand in Creutzers Villa statt. Unsere vier Herren trugen Anzüge statt der kurzen HJ-Hosen, in denen sie sonst herumliefen, und wir fanden es wahnsinnig komisch, wenn sie bei uns den Handkuss übten. Wir mussten so lachen, dass es schon deshalb niemals klappte, was Frau Schwinge, die Tanzlehrerin, zur Verzweiflung brachte.

»Meine Herren!«, rief sie. »So werden Sie es niemals lernen!«

»Schrecklich!«, sagte Hotte Berg. »Nun müssen

wir bald an die Front und können noch nicht mal einen ordentlichen Handkuss.«

Frau Schwinge sah ihn mit großen Augen an. Ihr Mann war auch an der Front.

Aber Foxtrott, Tango und langsamen Walzer haben wir dann doch gelernt, sogar Jochen Creutzer.

Eigentlich mochte ich ihn nicht besonders; ich war nur geschmeichelt, weil er so gut aussah und alle sich um ihn rissen. Wenn er mich auf dem Heimweg küssen wollte, wimmelte ich ihn ab. Dann marschierte er schweigend neben mir her. Erst vor der Haustür versuchte er es wieder, und ich ließ es zu. Es gehörte zur Tanzstunde.

»O Gott, o Gott, so 'n Getue«, sagte Gertrud, als ich davon erzählte.

Ich blickte in das Schneetreiben vor meinem Fenster und denke, wie kindisch das alles war.

Obwohl, im Winter, als Hotte Berg und die beiden Jochen zusammen auf Weihnachtsurlaub kamen, war es nicht mehr kindisch. Da war Rolli Voß schon gefallen, bei dem ersten Einsatz, und ausgerechnet an seinem achtzehnten Geburtstag.

Die drei anderen sprachen nicht von ihm. Aber ich hatte das Gefühl, dass sie dauernd daran dachten. Überhaupt hatten sie sich verändert, nicht nur wegen der Uniformen, die sie jetzt trugen. Sie rodelten mit uns über den Hang im Bürgerpark, warfen uns vom Schlitten, steckten uns Schneebälle in die Pullover, genau wie früher. Aber ihre Blödelei war schärfer und härter geworden, auch die Art, wie sie uns anfassten.

Bevor ihr Urlaub zu Ende ging, gab Frau Creutzer ein Fest.

»Hausball« nannte sie es. Meine Mutter hatte mir extra ein neues Kleid genäht, aus den Schlafzimmergardinen: Weißer Voile, oben eng, der Rock sehr weit, mit blauen Samtbändern am Halsausschnitt und am Saum. Das hübscheste Kleid, das ich je besaß.

»Entzückend siehst du aus, Regine«, sagte Frau Creutzer und sah dabei ihren Sohn an.

Sie hatte eine Menge Gäste eingeladen, auch Kollegen ihres Mannes, die wie er vom Militär freigestellt waren. Auf dem Tisch standen Blumen und Kerzen. Ein Mädchen in weißem Häubchen servierte – Suppe und Rehbraten und Kirschkompott, wahrscheinlich alles Gaben von Patienten. 1943 war es ja noch nicht ganz so knapp wie später.

»Einmal soll es sein wie im Frieden«, sagte Frau Creutzer, und ihr Mann sah seinen Sohn an, der wieder nach Russland musste, und sagte: »Frieden?«

Nach dem Essen wurde getanzt. Jochen Creutzer tanzte nur mit mir.

»Ich habe keine Zeit zu verschwenden«, sagte er, als ich meinte, dass er doch auch Gisela auffordern müsse, die Rollis Tanzstundendame gewesen war. »Rolli würde das verstehen.«

Wir tanzten, und seine Mutter folgte uns mit

den Blicken, den ganzen Abend. Sie hatte den gleichen Ausdruck im Gesicht wie später die Bäuerin, wenn sie mich mit ihrem Walter sah.

Aber an dem Abend bei Creutzers verstand ich noch nicht, was das bedeutete.

Jochen trank hastig und viel und redete auf mich ein. An den Tagen davor war er schweigsam gewesen. Jetzt versprach er sich dauernd, so rasch hintereinander kamen die Wörter, lauter Belanglosigkeiten, ich kann mich an nichts mehr erinnern.

Als wir zwischen zwei Tänzen etwas abseits standen, er mit dem Glas in der einen, der Weinflasche in der anderen Hand, stellte sich sein Vater zu uns.

»Schön heute Abend«, sagte er. »So etwas werden wir lange nicht wieder haben.«

Dann nahm er Jochen die Flasche weg und sagte: »Nicht heute Abend, mein Junge. Besauf dich in Russland. Dieser Abend ist zu schade.«

Jochen wollte sich die Flasche zurücknehmen. Da strich ihm sein Vater übers Haar, mit einer ganz schnellen, kurzen Bewegung, und Jochen ließ die Hand sinken.

Danach war er viel stiller. Er sagte fast nichts mehr. Auch beim Tanzen nicht. Ich fand es schön, so wortlos zu tanzen. Er hatte sein Gesicht an meins gelegt, auch das fand ich schön.

Der letzte Tanz war ein langsamer Walzer:

›Reich mir zum Abschied noch einmal die Hände.

Good night, good night, good night.
Schön war das Märchen, jetzt ist es zu Ende.
Good night, good night, good night...‹

Plötzlich sah ich, dass Jochen Tränen in den Augen hatte.

»Sei still!«, fuhr er mich an. Und dann sagte er: »Du hast ja keine Ahnung, wo wir wieder hinmüssen. Dieses verdammte Theater hier. Kerzen! Na ja, sie meinen es gut.«

Wir tanzten den Tanz zu Ende, und das Fest war aus. Auf dem Heimweg gingen wir durch den Park. Dort küsste er mich. Ich hielt still. Es gefiel mir sogar. Aber als er anfing, meine Brust zu streicheln, riss ich mich los.

»Regine«, sagte er. »Lass das jetzt. Hör auf, herumzuspielen. Das hast du lange genug gemacht.«

»Ich habe doch nicht gespielt!«, sagte ich.

Er nahm mich wieder in den Arm.

»Komm doch mit«, sagte er. »Komm mit zu mir. Keiner merkt was. Komm mit. Ich muss doch wieder weg. Wir haben so wenig Zeit.«

Ich stieß ihn fort. Ich sagte, er wäre wohl verrückt geworden, und was er sich dabei dächte, und plötzlich schrie er mich an. Er schrie, dass er an die Front ginge, um zu krepieren, und wenn er für uns krepieren müsste, dann könnte ich wenigstens einmal mit ihm schlafen, bevor er krepierte, und was ich mir wohl einbildete auf meine dämliche Unschuld, ob die wichtiger sei als sein Leben.

Er stand da und brüllte. Schließlich versuchte er mich in den Schnee zu werfen. Es war lange nach

Mitternacht und kein Mensch in der Nähe. Ich schrie, aber niemand hörte es.

Plötzlich ließ er mich los, drehte sich um und verschwand.

»Er hat dich einfach stehen lassen?«, fragte Doris am nächsten Tag. »Und du musstest allein nach Hause gehen? Den ganzen weiten Weg? Das kann doch nicht wahr sein!«

»Na hör mal«, sagte ich. »Das ist wirklich nicht das Schlimmste an der ganzen Sache.«

Ich wollte wissen, ob Hotte Berg es bei ihr auch versucht hätte, und sie sagte Nein, aber dass sie es getan hätte, ganz bestimmt, und dass sie Hotte liebe und alles andere wäre ihr egal.

»Aber du weißt doch noch gar nicht, ob ihr mal heiratet!«, sagte ich und habe erst später begriffen, wie blödsinnig es war, was unsere Mütter uns eingetrichtert hatten.

»Deine Unschuld verlierst du bloß einmal. Sie ist das Kostbarste, was du hast. Heb sie auf für den Richtigen.« Der Richtige. Das klingt ganz gut. Aber der Richtige war für unsere Mütter nur der Ehemann.

Jochen Creutzer war der Falsche. Deshalb habe ich es nicht getan. Doch wenn ich an ihn denke, tut es mir Leid. Walter Henning war auch der Falsche. Trotzdem bin ich froh, dass ich es getan habe.

Jan war der Richtige, und es bedeutete gar nichts, ob er der Erste war oder nicht.

Sechs Wochen nach dem Fest ist Jochen Creutzer gefallen. Seine Mutter kam zu uns, um es mir zu sagen. Sie legte ihren Kopf an meine Schulter und weinte, und ich hatte ein schlechtes Gewissen. Dem toten Jochen gegenüber. Auch ihr gegenüber.

Deshalb ist es mit Walter Henning passiert. Aber schön war es nicht. Ich konnte lange nicht daran denken. Jedes Mal bekam ich einen trockenen Mund vor Widerwillen.

Nie wieder, dachte ich. Ich will es nie wieder. Es ist ekelhaft. Nie wieder.

Jan hat das alles weggewischt.

Jan und ich. Es ist dunkel. Ich laufe durch den Garten. Er steht vor der Tür. Er zieht mich in den Schuppen. Die Kerze brennt. Diesmal küsst er mich.

»Moje kochanie.«

Die zweite Nacht erst.

»Moje kochanie. Moje kochanie.«

Und ich will es. Ich vergesse Walter Henning und Jochen Creutzer und meine Mutter und das P und die Angst. Ich will es, und Jan will es, und alles ist gut.

»Moje kochanie. Moje kochanie.«

Sein Gesicht verschwimmt im Kerzenlicht. Nur seine Augen sehe ich deutlich.

»Was heißt moje kochanie?«

»Meine Liebste.«

Später erzähle ich ihm von Walter Henning.

»Du hast Mitleid gehabt«, sagt Jan. »Mitleid ist gut.«

»Aber du bist nicht der Erste.«

»Doch«, sagt er. »Jetzt bin ich es.«

»Ich liebe dich, Jan.«

Ich hatte es noch nie gesagt. Zu keinem.

Ich liebe dich. Es ist schön, das zu sagen.

In dieser Nacht gab es wieder Fliegeralarm. Ich wollte gerade gehen, da heulten die Sirenen.

»Lauf du zuerst«, sagte Jan.

»Und du?«, fragte ich.

»Lauf!«, sagte er. »Schnell!«

Meine Mutter stand schon mit ihrem Koffer in der Diele, als ich kam.

»Ich war spazieren«, sagte ich. »Ich hatte Kopfschmerzen.«

»Du bist wohl närrisch!«, schimpfte sie. »Wo es jetzt so oft Alarm gibt.«

»Ich muss doch wenigstens mal an die Luft gehen können, ohne dass du dich aufregst«, sagte ich und dachte, sie müsste mir ansehen, was geschehen war. Aber sie glaubte mir.

Ich nahm meinen Koffer und lief hinter ihr her.

Ob Jan es geschafft hatte?

Unten im Keller ging es mir wie ein Kreisel durch den Kopf. Ich hatte Angst, genauso große Angst wie beim Luftangriff, nur anders. Eine kriechende, bohrende, fressende Angst. Ich bin sie nie wieder losgeworden.

Warum musste ich mich ausgerechnet in Jan ver-
lieben?

»Du fragst immer das Gleiche«, sagt Gertrud.
»Das ist nun mal wie's ist. Nicht bloß bei dir.«

»Weil er anders war«, sagt Maurice.

Ich glaube, Maurice hat Recht.

»Du warst wie eine junge Katze«, hat er einmal
gesagt. »Blind.«

Ich brauchte etwas, was mir die Augen öffnete.
Einen Menschen. Ein Ereignis.

Vorbereitet war ich schon, durch Jochen Creutzers Tod, durch die Bäuerin mit ihren toten Söh-
nen, durch den Tod, der immer näher heranrückte.

Deutschland muss leben, und wenn wir sterben
müssen. Die Fahne ist mehr als der Tod.

Stimmten diese Sprüche?

Tod, das war immer nur ein Wort gewesen. Jetzt
wurde das Wort Wirklichkeit.

Stimmten die Sprüche?

Ich hatte angefangen zu fragen. Es war mir nur
noch nicht bewusst.

Zum Beispiel: Deutschland, ein Volk ohne
Raum.

Aber gleichzeitig: Deutschland braucht Söhne.
Deutsche Frau, schenke dem Führer Söhne.

Warum? Wenn es nicht genug Raum für sie gab,
wozu die vielen Söhne? Um neuen Raum zu
erobern? Damit sie starben bei der Eroberung von
neuem Raum?

Widersprüche, die ich nicht verstand.

»Bei Leuten, die einen Krieg verlieren, nennt

man so was Kanonenfutter«, sagte Doris. »Aber wir siegen ja, bei uns sind es Helden.«

Sie machte immer öfter solche Bemerkungen. Auch Hotte Berg war gefallen, der Dritte aus unserem Tanzkurs.

Eines Abends war Doris zu uns gekommen, spät, meine Mutter lag schon im Bett. Sie stand in der Tür, atemlos, so, als ob sie den ganzen Weg gelaufen wäre, und sagte: »Hotte ist tot.«

Dann saß sie da und weinte, und als ich sie trösten wollte, sagte sie: »Sei doch still. Was weißt du schon? Mit dir kann man sowieso nicht richtig reden.«

Ob ich Doris wieder sehe? Dann könnten wir es endlich tun: miteinander reden.

11

Der Wehrmachtsbericht vom 27. Februar – gestern Abend haben wir ihn gehört. Einer von den vielen, die sie uns Tag für Tag vorsetzen. Tatsachen, Phrasen, Wahrheit, Lüge, alles durcheinander. Lauter Niederlagen, die zu Siegen verdreht werden:

In Mittelpommern stehen herangeführte eigene Verbände an den Ortsrändern von Bublitz und Rummelsburg in schweren Abwehrkämpfen gegen die nach Nordwesten vorgestoßenen Sowjets... An der Ostpreußen- und Samlandfront griffen die Bolschewisten unter dem Eindruck ihrer hohen Verluste nur im Raum nordwestlich Kreuzburg in der bisherigen Stärke an. Unsere seit Tagen schwer ringenden Divisionen vereitelten den Durchbruch...

Nach stärkster Artillerievorbereitung nahm die 1. kanadische Armee ihre Großangriffe zwischen Niederrhein und Maas wieder auf...

Unsere Reserven werfen sich den Angreifern entgegen und behaupten so den Zusammenhang der Abwehrfront...

Unsere Artillerie zerschlug vor Dünkirchen den Angriffsversuch einer feindlichen Panzergruppe...

In Pommern schlug sich eine Kampfgruppe der SS-Freiwilligen-Grenadier-Division »Wallonien« unter Führung von SS-Obersturmführer Capelle mit vorbildlicher Standhaftigkeit und fanatischem Kampfwillen.

»Die siegen sich noch zu Tode«, sagt Maurice.

Der Krieg ist längst verloren. Doch immer mehr Menschen müssen sterben, an der Front und in den zerbombten Städten. Bei einigen Bauern im Dorf sind Evakuierte aus Dresden untergebracht. Wenn ich von Gertrud höre, was sie von dem furchtbaren Angriff berichten, zählen die Bomben auf Steinbergen kaum noch. Über 200000 Menschen sind in Dresden umgekommen. Zweihunderttausend. Ich sage das Wort laut vor mich hin. Ich kann es noch. Ich gehöre zu denen, die leben. Aber seit gestern ist meine Angst wieder größer geworden.

Am Nachmittag kam Gertrud zu mir in die Kammer, mit Brot, einer Büchse Wurst und einer Kanne Tee.

Sie rückte den Stuhl neben mein Bett und stellte das Tablett darauf, alles sehr leise.

»Thumert ist da«, flüsterte sie.

»Er sitzt jetzt unten bei Mutter und isst. Gleich geht er in sein Zimmer. Du darfst dich nicht rühren, solange er da ist. Keinen Schritt! Leg dich hin. Nimm 'n Nachttopf ins Bett, wenn du mal musst. Morgen verschwindet er wieder, er will nur seine Gewehre holen.«

Sie strich mir übers Haar.

»Angst brauchst du nicht zu haben. Hier kommt er nicht her. Aber sei leise. Ich muss schnell wieder runter. Schieb den Riegel vor.«

Sie ging. Ich hörte ihre Schritte und eine Männerstimme im Treppenhaus.

Thumert. Wir hatten nicht damit gerechnet, dass er noch einmal auftauchen könnte. Er war Inhaber und Chefredakteur der Steinbergener Zeitung. In Gutwegen ging er zur Jagd. Seit mehr als zwölf Jahren hatte er ein Zimmer auf dem Henninghof. In der Zeit vor Hitler gehörte er beinah mit zur Familie. Später hätte der alte Henning ihn am liebsten hinausgeworfen, weil Thumert ein Obernazi geworden war.

Den »Endsieger« hatte Doris ihn getauft, wegen seiner Zeitungsüberschriften, die fast immer das Wort »Endsieg« enthielten. Früher, vor Jan, hatte ich seine Artikel gut gefunden. Er sagte alles so klar und einfach, dass jeder Zweifel absurd erschien.

»Das ist wenigstens nicht so ein verschwiemeltes Zeug«, lobte ihn auch meine Mutter. »Das versteht jeder. Wenn man das liest, dann weiß man, warum wir weiterkämpfen müssen.«

Später begriff ich, wie gefährlich er schrieb.

»Der verdreht die Tatsachen so lange, bis sie wieder vom Kopf auf die Beine kommen«, sagte Steffens. »Ein richtiger Verwandlungskünstler. Ich kenne seine Zeitung doch noch von früher. Da war der Thumert stramm kaisertreu und hätte am liebsten den ollen Wilhelm wiedergeholt. Aber dreiunddreißig ging es ruck, zuck und rein in die Partei. Was er von da an in seinem Drecksblatt geschrieben hat – kaum zu glauben, dass das noch derselbe Mann war.«

Thumert, der bekannte Thumert! Als ich ihn im Sommer beim Ernteeinsatz kennen lernte, fand ich ihn fabelhaft. Ich hatte ihn mir ganz anders vorgestellt, viel älter und gesetzter. Er war zweiundvierzig, mager, schnodderig und vergnügt, und wenn er in der Turnhose über den Hof lief, wirkte er wie ein junger Mann.

Als er mich zum ersten Mal sah, pfiff er durch die Zähne.

»Wen habt ihr denn da?«, rief er. »Warum habe ich das nicht gewusst? Dann wäre ich doch schon früher gekommen!«

Gleich am ersten Abend holte er mich nach draußen, auf die Bank vor dem Haus, und unterhielt sich mit mir. Er konnte interessant erzählen, von der Tibet-Expedition, an der er teilgenommen hatte, als Journalist, und weil er ein guter Bergsteiger war. Aber vor allem wollte ich etwas über seine Arbeit hören – wie man eine Zeitung macht, worauf es dabei ankommt, was man können muss.

»Du fragst mir ja ein Loch in den Bauch, Mädchen«, sagte er. »Weißt du was, komm zu uns. Werde Journalistin. Du kannst gleich bei mir anfangen.«

»Setzen Sie ihr man keine Flausen in 'n Kopp, Herr Thumert«, sagte Gertrud, die sich daneben gestellt hatte. »Bei Ihnen können immer alle anfangen, das kennen wir schon.«

Er lachte, und ich sagte, dass ich sowieso Chemie studieren wolle.

»Sieh dich vor dem Thumert vor«, warnte mich Gertrud am nächsten Morgen. »Der ist hinter jeder Schürze her.«

»Er ist doch über zwanzig Jahre älter als ich!«, sagte ich. Aber schon am Abend darauf versuchte er es bei mir. Ich stand am Bach hinter dem Haus, um Wasser für die Wäsche zu holen, da schlich er sich heran. Ich wehrte mich, und als er nicht aufhörte und mir den Weg versperrte, goss ich ihm einen Eimer Wasser gegen den Bauch.

Er stand da, triefend von oben bis unten. Er sah komisch aus und ich lachte.

Thumert lachte nicht.

»Du verdammte kleine Hexe«, zischte er, drehte sich um und verschwand.

Gertrud war damals begeistert.

»Das tut dem gut!«, hatte sie gelacht und sich auf die Schenkel geschlagen. Aber als wir vor ein paar Wochen wieder davon redeten, oben in meiner Giebelkammer, sagte sie: »Das vergisst er dir nicht. So eitel, wie der ist. Hier war mal eine von seiner Zeitung, die hat mir erzählt, dass er jede rausekelt, die nicht will. Na ja, zum Glück haben sie ihn ja nach Berlin geholt und er kommt nicht mehr her. Erst nach dem Endsieg, hat er geschrieben.«

Ich schob den Riegel vor die Tür und legte mich hin. Vor Angst wagte ich kaum, mich umzudrehen. Vielleicht hatte ich deshalb in der Nacht diesen schrecklichen Traum.

Ich träumte von Jan. Wir waren im Schuppen. Wir lagen auf dem Sofa. Er bewegte sich nicht. Ich versuchte, mit ihm zu sprechen, aber er gab keine Antwort. Ich wollte aufstehen und gehen, da konnte ich mich auch nicht mehr rühren. Und plötzlich kam eine riesige Gestalt auf uns zu, eine riesige schwarze Gestalt mit einem Stein in der Hand. Sie kam näher, immer näher…

Irgendwann habe ich angefangen zu schreien. Ich hörte, wie ich schrie, wurde halb wach, sprang aus dem Bett, rannte schreiend zur Tür, schob den Riegel zurück…

Erst dann kam ich zu mir. Ich stand im Treppenhaus. Der Strahl einer Taschenlampe traf mich. Thumert.

Er kniff die Augen zusammen und sah mich an. Dann sagte er: »Na so was! Unsere keusche Regine!«

Unten schlug eine Tür. Schritte. Gertrud rannte die Treppe hinauf.

»Um Gottes willen!«, rief sie. »Regine!«

Ich ließ mich auf die oberste Stufe fallen. Ich war nass geschwitzt und zitterte so, dass meine Zähne klapperten.

»Ich denke, du bist tot?«, sagte Thumert.

Gertrud lief in die Kammer, holte eine Decke und legte sie mir um die Schultern.

»Verraten Sie uns?«, fragte sie.

Thumert antwortete nicht.

»Herr Thumert«, sagte Gertrud. »Meine Mutter hat vier Söhne verloren. Das reicht.«

Thumert sah mich an und sagte: »Ein Polenliebchen, unsere Süße.«

»Hören Sie mal zu«, sagte Gertrud. »Da Sie sowieso Bescheid wissen, können wir ja deutlich miteinander reden. Also, natürlich können Sie hingehen und uns anzeigen. Dann werden wir vom Hof gejagt und vielleicht hängen sie uns auf, auch Muttern, und der ist das wahrscheinlich egal. Aber mir nicht. Und der Krieg ist bald aus, das wissen Sie genauso wie ich, Sie sind ja nicht bekloppt. Und dass wir ihn verlieren, wissen Sie auch.«

»Ich höre mir das nicht länger an«, sagte Thumert.

»Doch«, sagte Gertrud. »Den Rest auch noch.

Der Krieg ist bald aus, und dann sind zur Abwechslung mal andere dran. Solche wie Sie. Und wenn Sie uns jetzt noch verraten…«

»Halt den Mund, Trude«, schrie Thumert.

Aber sie redete weiter.

»Irgendwer wird schon noch übrig bleiben, der rumgeht und erzählt, was der Thumert hier ganz zum Schluss noch gemacht hat.«

Sie schwieg und sah ihm ins Gesicht. Thumert schwieg ebenfalls. »So«, sagte Gertrud, »und jetzt passen Sie auf. Wenn Sie die Klappe halten, wenn Sie still sind – also, das verspreche ich Ihnen, dann legen wir alle möglichen guten Worte für Sie ein. Dann sagen wir sogar, dass Sie's waren, der die Regine hergebracht hat. Wir sagen alles, was Sie wollen. Auch, dass Sie schon immer gegen Hitler waren. Was Sie wollen. Von mir aus können Sie's schriftlich haben.«

Sie redete so schnell wie noch nie, ohne Komma und Punkt, völlig atemlos.

Thumert fing an zu lachen.

»Das ist fantastisch!«, sagte er. »Ein fantastischer Handel. Trudchen, ich bewundere dich. Du bist ein hervorragendes Exemplar des deutschen Nährstandes. Kommt, gebt es mir schriftlich.«

Wir gingen nach unten, und Thumert diktierte mir, was ich schreiben sollte. Dass er mich in der Bombennacht gefunden und auf den Henninghof gebracht hätte. Und dass ich ihm für meine Rettung zutiefst dankbar sei.

»Henninghof nicht«, sagte Gertrud. »Schreib

in Sicherheit gebracht, Regine. Wer weiß, was Ihnen noch passiert, Herr Thumert, und dann findet einer den Zettel und gleich die Adresse. Kommt nicht in Frage. Die liefern wir Ihnen nach...«

Thumert steckte den Zettel ein.

»Wisst Ihr, was das Komischste ist?«, sagte er. »Ich hätte euch nicht mal verraten. Ich habe nämlich deinen Vater gern gemocht, Trude. Und vor deiner Mutter nehme ich den Hut ab. Vor dir übrigens auch. Und was die Kleine da betrifft – ja, wer bin ich denn? Ich mach mir doch nicht die Hände dreckig.«

»Dann können Sie ja den Schrieb wieder rausrücken«, meinte Gertrud.

Er schüttelte den Kopf.

»Geschenkt ist geschenkt. Der kann ganz nützlich sein, das hast du selbst gesagt. Übrigens weiß ich genau, dass du was mit Maurice hast. Und das habe ich auch für mich behalten. Vielleicht revanchiert er sich später mal. Wir können ihn ja zusammen in Lyon besuchen.«

Er grinste und Gertrud sagte: »Man sollte Ihnen eins in die Fresse hauen.«

Am nächsten Tag, bevor Thumert abfuhr, kam er noch einmal zu mir in die Giebelkammer.

»Du brauchst keine Angst zu haben«, sagte er. »Du schaffst es schon. Das kurze Haar steht dir übrigens gut. Du siehst aus wie Jeanne d'Arc. Willst du nicht doch Journalistin werden? Bei mir geht das ja wohl nicht mehr. Aber wer weiß – wir haben schon so viel überstanden.«

Maurice wurde ganz weiß vor Wut, als wir am Abend über Thumert sprachen.

»Wenn ich dabei gewesen wäre«, sagte er, »ich hätte ihn erwürgt.«

Er öffnete die geballten Hände, krümmte die Finger in der Luft.

»Bei Gott, erwürgt. Dieses Schwein! Solche wie er, die sind schuld. Die waren intelligent genug und wussten, was sie taten. Die haben uns auf dem Gewissen.«

Er sah die Bilder von Gertruds Brüdern an.

»Passt auf, dieses Schwein kommt durch.«

Es dauerte lange, bis er sich wieder beruhigte.

12

Ich weiß nicht, warum die Tage so endlos sind. Ich stehe am Fenster und es ist, als hörte ich die Zeit tropfen, langsam, ganz langsam.

Manchmal kommt die Bäuerin zu mir in die Giebelkammer. Schwerfällig, mit keuchendem Atem steigt sie die Treppe hinauf. Sie setzt sich auf den Stuhl und schweigt.

Erst nach einer Weile kann sie wieder sprechen.

Sie sagt: »Sie waren heute im Holz.« Oder: »Willy Kleinmann ist wieder da. Er hat keine Beine mehr.« Oder: »Es gibt noch mal Schnee. Das spür ich in den Knochen.«

Ich sage »Ja« und »Nein« und »Wirklich« und warte. Ich weiß, dass sie nur gekommen ist, um ihre Frage zu stellen.

»War's schön für ihn am letzten Tag?«, fragt sie endlich.

»Ja«, sage ich. »Sehr«, und das reicht. Mehr will sie nicht. Nur noch einmal hören, dass ihr Walter es gut gehabt hat an diesem Tag. Danach sitzt sie wieder auf ihrem Stuhl und schweigt. Manchmal denke ich, dass sie versteinert. Dass sie irgendwann wirklich eine schwarze Statue sein wird: trauernde Mutter.

In der guten Stube, die nur an Feiertagen benutzt wird, hängt ein Bild von ihr. Das Hochzeitsbild. Sie sieht Gertrud sehr ähnlich darauf, nur schlanker und zarter ist sie. Eine Haarsträhne fällt ihr ins Gesicht, sie lacht, und der alte Mann neben ihr blickt stolz in die Kamera.

Den alten Henning kenne ich nur aus Gertruds Erzählungen.

»Mein Vater, der war nicht dumm«, sagt sie. »Der hat seine Wirtschaft in Schuss gehabt. Und jeden Tag Zeitung gelesen, sogar in der Ernte. Dreiunddreißig, als Hitler drankam, hat er gesagt, das gibt Krieg. Aber im Dorf hat ja keiner auf ihn gehört, die waren wie beduselt mit ihrer Reichsbauernschaft und ihrem Reichsnährstand und dem ganzen Quatsch. Die haben gedacht, jetzt kriegt jede Kuh fünf Euter. Na ja, nun ist er tot.«

Der alte Henning ist bald nach dem zweiten Sohn gestorben. An Lungenentzündung.

»Eigentlich war's der Kummer«, sagt Gertrud. »Heinrich und Karl, das hat er nicht verkraftet. Mutter hat ja vier aushalten müssen. Aber auch nicht mehr lange.«

Sie sieht die Bilder ihrer Brüder an.

»Komisch«, sagt sie. »Ich find das komisch. So viel ist verboten. Äppel klaun zum Beispiel. Oder zum Nachbarn ›blöde Sau‹ sagen. Dafür wirste bestraft. Aber vier Söhne abknallen, das ist erlaubt. Dabei ist unser Walter bloß aus Versehen umgekommen. Der Letzte braucht nämlich nicht mehr, der hat Schonzeit, weil drei genug sind, sogar für die Partei. Aber mit unserm Walter, das hat irgend so 'n Hengst in der Verwaltung vermasselt, weil's ja noch mehr Hennings in der Wehrmacht gibt. Nun ist er tot, und bestraft wird dafür keiner.«

»Das ist aber keine Spezialität von eurem Führer«, sagt Maurice. »So was kann überall passieren. C'est la guerre, chérie, auch wenn man es nicht versteht.«

Walter hatte Urlaub, als ich zur Erntehilfe auf dem Henninghof war. Am 10. August kam er, am 25. musste er wieder weg. Der letzte Sohn. Und der jüngste. Das Gesicht der Bäuerin wurde ganz weich, wenn er in ihrer Nähe war. Sie sah ihn immerzu an.

»Wie 'ne Kuh ihr Kalb«, sagte Gertrud. »Walter, bleib bei Muttern.«

Aber das tat er nicht. In der Erntezeit ging jeder mit aufs Feld, der noch laufen konnte. Und außerdem wollte er lieber bei mir sein.

»Der rennt hinter dir her wie 'n Dackel«, sagte Gertrud. »Dabei gibt's genug Mädchen im Dorf, die bloß drauf warten, dass endlich mal einer auf Urlaub kommt. Aber nee, das musst du sein.«

Sie mochte mich nicht, damals im Sommer. Sie hielt Abstand, und als sie sah, dass ihr Bruder hinter mir her war, versuchte sie, es ihm auszureden.

»Na ja, du mit deinem strammen ›Heil Hitler‹«, sagt sie jetzt. »Schon wegen Maurice hatte ich Angst, du würdest Zirkus machen. Und nun noch Walter. ›Verbrenn dir bloß nicht das Maul bei der‹, hab ich ihm gesagt. ›Das ist 'ne richtige BDM-Zicke.‹ Aber der ließ sich nichts sagen. Und über Politik wollte er wohl sowieso nicht mit dir reden.«

Sie hat natürlich gemerkt, was passiert ist. Schon bevor wir später darüber sprachen, hier oben in der Giebelkammer, wusste sie es.

»War ja nett von dir«, sagt sie. »Der Walter, der hat sowieso nichts gehabt vom Leben. Die andern drei, die waren wenigstens Männer. Aber der!«

Walter war neunzehn. »Aus der Art geschlagen«, sagte Gertrud, »'n Büchermensch.« Er war in Steinbergen auf die Mittelschule gegangen und wollte später das Abitur nachmachen.

»Dann werde ich Lehrer«, erzählte er mir. »Für Geschichte und Erdkunde.«

Das war zwei Tage nach seiner Ankunft, in der Mittagspause. Wir saßen unter der großen Linde und aßen Kirschsuppe mit Grießklößen. Es war ein heißer Tag, sogar im Schatten schwitzte man. Wir hatten seit früh um sechs Roggen aufgestellt. Meine Arme und Beine waren von den scharfen Grannen zerstochen. Auch in der Kittelschürze hatten sie sich festgesetzt. Alles juckte und brannte.

»Interessierst du dich für Geschichte?«, fragte er.

»Im Moment nicht«, sagte ich. Und als ich sein enttäuschtes Gesicht sah: »Wir haben gerade die napoleonischen Kriege durchgenommen, bevor ich hergekommen bin.«

»Das Mittelalter, das finde ich am besten«, sagte er. »Die Staufer zum Beispiel.«

»Wollt ihr nicht weitermachen?«, rief Gertrud, die schon wieder auf dem Feld stand.

»Bleib sitzen«, sagte er. »Du bist die Arbeit doch nicht gewohnt. Ich bin jetzt ja da.«

Aber ich machte trotzdem weiter, hauptsächlich wegen Gertrud.

Am Abend hatte ich fast einen Sonnenstich. Meine Arme waren rot und geschwollen. Nach dem Geschirrspülen wollte ich mich hinlegen.

Als ich mir die Hände abtrocknete, kam Walter in die Küche.

»Ich geh noch ein bisschen raus«, sagte er.

»Geh doch mit, Regine«, sagte die Bäuerin. »Der Walter, der freut sich, wenn er mit jemand reden kann.«

»Aber Mutter«, murmelte Walter, und Gertrud sagte: »Bleibt lieber hier, es gibt 'n Gewitter.«

»Heute nicht«, sagte die Bäuerin. »Das spür ich in den Knochen.«

Sie sah mich an. Ihr Gesicht war bleich und alt unter dem schwarzen Kopftuch, mit tiefen Falten von der Nase zum Mund und Ringen unter den Augen.

»Geht man«, sagte sie.

Ich bin mit Walter spazieren gegangen, an diesem Abend und an den Abenden, die noch kamen, immer den gleichen Weg: die Dorfstraße entlang und durch die Felder zum Waldrand, wo die entwurzelte Buche lag. Dort saßen wir auf dem Baumstamm und redeten über alles Mögliche – über die Staufer und über Bücher und über das, was wir in der Kindheit erlebt hatten und was wir uns vorstellten für später. Die Abende waren warm und still, nur Waldgeräusche oder dann und wann das Summen der feindlichen Bomber, wenn sie über uns hinwegflogen. Wir taten, als ob sie nichts anderes seien als die Zirptöne der Grillen.

Einmal fing Walter vom Krieg an.

»Es ist die Hölle«, sagte er. »Ich habe Angst, wieder raus zu müssen. Am liebsten möchte ich in irgendeine Höhle kriechen. Beim letzten Angriff, da hatten wir...«

96

Er brach ab und sagte rasch: »Die Alpen, die möchte ich mal sehen. Nicht nur auf der Landkarte, da kenne ich sie ja…«

Ich hörte ihm gern zu. Ich konnte mich gut mit ihm unterhalten, viel besser als früher mit Jochen Creutzer. Er wusste eine Menge und hatte viele eigene Ideen, das lag wohl in der Familie. So mit ihm am Waldrand zu sitzen, abends nach der Arbeit – Grillen zirpten, Frösche quakten am Bach, hin und wieder eine Sternschnuppe – doch, das war schön. Bloß zu nahe kommen durfte er mir nicht. Dann zuckte ich zurück. Er war mir zu rosa – rosa Haut, rötlich-blonde Haare, ebensolche Augenbrauen und Wimpern. Und alles so zart, die Hände, die Füße.

Merkwürdig, Jan war ihm ähnlich, schmal und ohne Robustheit, genau wie Walter, wenn auch nicht rosa. Bei Jan hat es mich angezogen. Jan wollte ich anfassen, seine Haut spüren, es war wie ein Zwang. Bei Walter dagegen fand ich es schon unangenehm, wenn er mich mit einem Grashalm kitzelte.

»Was hast du?«, fragte er eines Abends. »Bin ich so scheußlich?«

»Wieso?«

Ich tat, als verstünde ich ihn nicht.

»Wieso? Wie kommst du darauf?«

»Na ja.« Er ließ die Hand fallen, die er nach mir ausgestreckt hatte. »Sonst… Aber lassen wir das.«

»Man muss doch nicht gleich…«, sagte ich.

»Gleich?« Er lachte. »Gleich finde ich gut. Ich

bin noch acht Tage hier. Gleich ist ein ziemlich relativer Begriff.«

Er streckte wieder die Hand aus. »Ich liebe dich nämlich, Regine.«

O Gott, dachte ich, nein.

»Wir haben doch so wenig Zeit«, sagte er, und ich ließ mich von ihm küssen. Ich hatte dabei ein Gefühl, als müsste ich Maikäfer essen. Aber Walter war glücklich. Er tanzte beinahe nach Hause.

So wenig Zeit. Ich hörte es schon zum zweiten Mal. Und später sagte es Jan.

Alle Männer, die mich wollten, hatten keine Zeit. Und alle drei sind tot.

Ich denke es und der Gedanke ist wie eine Nadel, die durch mich hindurchfährt.

Jan darf nicht tot sein. Ich muss ihn wieder finden.

Wenn Jan tot ist, will ich auch nicht mehr leben.

Natürlich wussten alle auf dem Hof, was mit Walter los war.

»O Gott, o Gott, war der arme Junge verknallt!« Gertrud schüttelt noch heute den Kopf, wenn sie davon anfängt. »Der hätte ja am liebsten jede Heugabel abgeknutscht. Und dass du nicht verknallt warst, das hab ich auch gesehen. Die macht ihm bloß lange Zähne, die Zicke, hab ich gedacht. Umbringen hätt ich dich können.«

Ich spürte damals ihre Versuche, Walter von mir wegzudrängen, und auch den stillen Kampf, den sie mit ihrer Mutter führte.

Die Bäuerin ließ sich nicht beirren. Sie sagte nichts. Aber sie sah mich unentwegt an, drehte den Kopf weg, sah mich wieder an. Und abends wusch sie selbst das Geschirr ab, nur, damit wir gehen konnten.

Zwei Tage vor Walters Abreise, als wir beim Abendessen saßen, sagte sie: »Morgen schläfst du dich aus, Walter. Da gehst du nicht mit aufs Feld.«

»Der Weizen muss rein«, sagte Walter.

»Regine schläft sich auch aus«, sagte die Bäuerin. »Und dann macht ihr euch einen schönen Tag.«

»Und wer soll den Weizen reinbringen?«, fragte Gertrud. »Maurice und ich etwa? Zu zweit? Wie denn?«

Sie hatte Recht. Zu zweit ging es nicht. Drei Leute mussten es mindestens sein: Einer, der mit der Forke die Garben vom Wagen stach und hochreichte, einer oben auf dem Scheunenboden, der sie abnahm und weitergab, und der Dritte, der sie in der Scheune stapelte.

Die Bäuerin sah auf ihren Teller.

»Der Weizen kann noch draußen bleiben.«

Kein Bauer sagt so etwas ohne Not, und alle schwiegen und nahmen es hin.

Am nächsten Morgen schlief ich bis acht. Walter war schon unten, als ich kam. Die Bäuerin hatte uns den Frühstückstisch gedeckt. In der Mitte stand ein Teller mit Schmalzgebackenem, gelb von vielen Eiern, dick mit Zucker bestreut, noch warm und knusprig. Sie setzte sich neben

Walter und legte ihm ein Stück nach dem anderen auf den Teller, bis er sagte: »Jetzt aber Schluss. Sonst muss ich hier bleiben und mich ins Bett packen und verdauen.«

»Dann geht man«, sagte sie und holte eine Tasche aus der Küche. »Da sind Brote drin. Und Kuchen. Und eine Flasche mit Kaffee. Und vor'm Abend braucht ihr nicht wieder hier zu sein.«

Sie ging mit bis zum Hoftor und sah hinter uns her. Plötzlich hörte ich ihre Stimme: »Regine!«

Ich drehte mich um. Sie winkte und ich kehrte noch einmal zurück. Sie stand am Tor, schwarz und alt. In ihren Augen war ein Ausdruck, wie ich ihn noch nie darin gesehen hatte.

»Sei gut zu ihm«, sagte sie leise.

Ich weiß nicht, ob ich gut zu Walter Henning gewesen bin. Versucht habe ich es. Ich dachte an den toten Jochen Creutzer und an das, was er über das Krepieren und unsere Unschuld gesagt hatte, und ich dachte an Walters Angst und an seine Brüder und an das, was an der Front auf ihn wartete. Am meisten aber dachte ich an die Bäuerin.

»War's schön für dich?«, fragte Walter.

Wir lagen draußen am Moorsee. Der Weg dorthin hatte fast zwei Stunden gedauert, durch die Felder, später durch den Wald. Walter hatte vom Südpol erzählt. Es war heiß und ich hatte gesagt, am liebsten wäre ich ein Eskimo, da fing er vom Südpol an.

»Damit es ein bisschen kühler für dich wird!«, sagte er. Aber ich hörte nicht richtig zu. Ich dachte nur immer an die Worte der Bäuerin, und ob ich es tun sollte, und dass es wohl sein müsse.

Ich weiß nicht einmal, ob Walter es wollte. Aber ich wehrte mich nicht, als er mich in die Arme nahm. Er versuchte mehr, und ich wehrte mich immer noch nicht, und schließlich ist es passiert.

»Ich liebe dich so, Regine«, sagte er. »Du mich auch?«

Ich nickte. Darauf kam es ja nun nicht mehr an. Aber als er fragte: »War's schön für dich?«, fing ich an zu weinen.

»Sei nicht traurig«, sagte er und streichelte mich. »Ich komme zurück. Ich pass schon auf, dass ich zurückkomme, und dann wird es immer schöner. Ich mache das Abitur und studiere, und wir heiraten, und alles wird schön. Wein doch nicht.«

Ich machte die Augen zu. Er war so rosa. Es schüttelte mich. Nie wieder, dachte ich. Nie wieder.

Als wir nach Hause kamen, sah mich die Bäuerin fragend an. Ich merkte, wie ich rot wurde, Gesicht, Hals, sogar die Arme. Da tat sie, was sie wahrscheinlich nur selten in ihrem Leben getan hatte. Sie zog mich zu sich heran und strich mir übers Haar.

Am nächsten Tag fuhr Walter ab.

Im September erhielten wir seine Todesanzeige.

Mein letzter lieber Sohn, mein guter Bruder, unser Schwager, Neffe und Onkel, Gefr. Walter

Henning, folgte seinen drei Brüdern in den Tod. In tiefer Trauer: Frieda Henning, geb. Seifert, Gertrud Happke, geb. Henning, im Namen aller Verwandten.

Bald darauf traf ich Jan. Von da an konnte ich wieder an Walter denken.

»War er glücklich am letzten Tag?«, fragt die Bäuerin, wenn sie bei mir in der Giebelkammer sitzt. Ich sage »Ja«, und sie sieht mich an, als ob ich ein Stück von Walter wäre.

Ich glaube, deshalb hat sie mich aufgenommen, als ich im Oktober an ihr Fenster klopfte. Deshalb versteckt sie mich hier oben.

Vielleicht gehört auch Walter Henning zu denen, die mir das Leben gerettet haben.

Aber schön war es erst mit Jan.

13

Jan und ich. Ich machte die Augen zu und die Wände der Giebelkammer verschwinden, das Bett, der Stuhl, das Fenster mit der Mullgardine. Jan und ich. Seine Hände. Unsere Stimmen in der Dämmerung.

»Erzähl mir etwas von dir, Jan. Wie bist du aufgewachsen? Wie war es bei euch zu Hause?«

»Als ich elf war, sind wir nach Krakau gezogen. Damals ist mein Vater Professor geworden. Wir hatten eine Wohnung nahe beim Park. In einem alten Haus mit Stuckdecken, Erkern, großen Zimmern…«

»Gab es das alles in Polen?«, frage ich und er lacht.

»Krakau! Meinst du, dort laufen die Wölfe auf den Straßen herum? Krakau, das haben sie das polnische Athen genannt. Wir haben eine der ältesten Universitäten von Europa. Und unser Marktplatz – du solltest unseren Marktplatz sehen, den Rynek Glowny, da bleibt dir der Atem stehen. Und die Marienkirche mit dem Altar von Veit Stoß!«

»Der war bei euch?«, frage ich erstaunt.

»Denkst du denn, dass alles Schöne den Deutschen gehört?«, fährt er mich an. »Der Veit-Stoß-Altar gehört uns, den habt ihr uns weggenommen.«

»Ich nicht.«

»Ich weiß. Wir wollen nicht mehr davon reden.«

Aber wir fangen immer wieder davon an.

Der Krieg, der Krieg.

»Warum sprechen wir immer vom Krieg, Jan?«

»Weil der Krieg unser Leben ist. Ohne den Krieg wäre ich nicht hier. Ohne den Krieg würden wir nicht in diesem Schuppen sitzen. Ohne den Krieg lebten meine Eltern noch. Ohne den Krieg wäre dein Vater zu Hause. Alles, was wir tun, tun wir, weil Krieg ist.«

»Ohne den Krieg«, sage ich, »hätte ich vielleicht eine Reise nach Krakau gemacht.«

»Du hättest in einem Café am Rynek Glowny gesessen, und ich wäre hereingekommen und hätte dich gesehen. Was für ein reizendes Mädchen, hätte ich gedacht. Ich wäre an den Tisch getreten. ›Verzeihen Sie, darf ich mich zu Ihnen setzen?‹«

»Dort ist doch ein leerer Tisch!«

»Aber Sie sitzen hier.«

»Hättest du das getan?«

»Ja, kochanie. Wo immer ich dich getroffen hätte…«

Ich mache die Augen zu und träume. Jan und ich. Wir bummeln durch die Straßen von Krakau. Er zeigt mir den Marktplatz, die Marienkirche, die Tuchhallen. Wir sehen Schaufenster an, wir sitzen auf einer Bank, er hält meine Hand, wir küssen uns. Alles ohne Angst.

Die Wirklichkeit war der Schuppen und die Angst.

Ende September ging die Hauptsaison in der Konservenfabrik zu Ende. Die Polen aus der Baracke wurden auf andere Arbeitsplätze verteilt.

»Du bleibst bei mir, Jan«, sagte Steffens. »Hier im Schuppen. Offiziell wohnst du bei uns neben dem Pferdestall. Aber die klauen mir nachts dauernd Äpfel, da ist es gut, wenn einer im Garten ist. Hau bloß nicht ab, Junge, ich bin für dich verantwortlich.«

Niemand hatte bis jetzt Gemüse gestohlen. Er wollte uns nur helfen.

»Verdammt noch mal«, sagte er. »Dieser Krieg, und ihr seid so jung. Wer weiß, was euch noch bevorsteht. Diese verdammten Schweine, die euch um eure Jugend betrügen.«

Er brachte Decken für das Sofa und stellte einen kleinen Ofen auf. Obwohl das Feuer nachts nicht brennen durfte, weil der Rauch Jan verraten hätte, wurde es beinahe gemütlich im Schuppen.

»Hoffentlich ist das richtig von mir«, sagte Steffens. »Ich bin ein alter Saufkopp, Reginchen, aber ich hab euch gern. Passt bloß auf, dass euch keiner erwischt.«

Er war dauernd betrunken, mal mehr, mal weniger. Möglich, dass er gar nicht wusste, was er tat. Und wahrscheinlich tat er es ebenso sehr für seinen Sohn wie für uns. »Kind, Kind, dass euch bloß nichts passiert«, sagte er und legte uns Kuchen auf den Schuppentisch.

Fast jede Nacht war ich bei Jan. Es ging alles so einfach. So, als ob uns jemand diese wenigen Wochen schenken wollte.

Nicht einmal meine Mutter konnte uns noch stören. Sie war zu meiner Großmutter gezogen, um sie zu pflegen. Meine Großmutter, die nie krank gewesen war! Ausgerechnet jetzt rutschte sie auf einer Kartoffelschale aus in ihrer eigenen Küche. Das Krankenhaus hatte kein Bett frei. Sie bekam einen Gips und wurde wieder nach Hause gebracht.

»Du kannst ja mit zu Oma kommen, Regine«, schlug meine Mutter vor.

Aber dagegen wehrte ich mich. »Wo soll ich

denn lernen? Im Wohnzimmer, während ihr euch darüber unterhaltet, was ihr im Frieden gekocht habt?«, fragte ich, und meine Mutter sah es ein. Sie fand es sogar besser, dass ich zu Hause blieb und auf die Wohnung achtete. Meine Mutter ging. Ich blieb. Als sie nach vier Wochen wiederkam, hatten sie Jan und mich schon geholt.

Es war alles so einfach gewesen. Ich wartete, bis der Fliegeralarm vorbei war. Oder bis ich glaubte, dass kein Alarm mehr käme. Ich ging über die Terrasse in den Vorgarten, und wenn mir die Umgebung sicher schien, lief ich zum Schuppen.

Jan wartete. Jan öffnete die Tür. Jan schloss sie wieder. »Moje kochanie. Moje kochanie.«

Die Petroleumlampe brannte. Die Fenster waren verhängt. Unsere Bleibe.

Aber ich hatte immer Angst.

»Sollen wir lieber aufhören?«, fragte Jan. »Uns nicht mehr treffen? Der Krieg kann nicht mehr lange dauern. Wenn wir bis dahin Geduld haben...«

»Wie lange dauert der Krieg noch?«

»Drei Monate. Vier. Höchstens sechs. Länger bestimmt nicht.«

»Und wenn er doch länger dauert?«

»Er dauert nicht länger.«

»Sechs Monate? Das halte ich nicht aus.«

»Und wenn ich Soldat wäre?«

»Das würde ich auch nicht aushalten.«

»Man hält so viel aus, kochanie.«

»Hältst du es denn aus?«

Er legte seine Arme um mich.

»Heute noch nicht. Vielleicht morgen.«

»Ja«, sagte ich. »Morgen.«

Jede Nacht sagten wir es: Nicht heute. Morgen. Immer wieder morgen. Bis es kein Morgen mehr gab.

Wir sind im Schuppen und haben Angst.

Wir horchen.

War da etwas?

»Nein, moje kochanie. Das ist nur der Wind.«

Aber eines Tages ist es nicht der Wind. Es sind Schritte.

Die Tür geht auf. Sie kommen und holen uns.

Ich höre, wie sie Jan über den Boden schleifen.

Wohin haben sie ihn gebracht?

Ich öffne die Augen und liege in der Giebelkammer. Das Bett, der Stuhl, das Fenster mit den Mullgardinen, die weiß gekalkte, rissige Decke über mir. Ich bin so allein. Ich glaube, ich werde Jan nie wieder sehen.

Ich halte es nicht aus. Immer die gleichen Bilder. Ich will nicht mehr denken, von morgens bis abends daran denken. Ich mache mir Kreuzworträtsel, schreibe französische und englische Vokabeln auf, übersetze ganze Seiten, versuche, mich an Gedichte zu erinnern. Ich habe früher so viele Gedichte auswendig gelernt. Aber ich bekomme kaum eins von ihnen zusammen, bei jedem fehlen ein paar Zeilen. Nur zwei sind mir bis jetzt vollständig eingefallen.

Das Erste war ausgerechnet das Nikolausgedicht, das ich, obwohl wir aus der Kirche ausgetreten waren, Jahr für Jahr aufsagen musste:

Von drauß vom Walde komm ich her,
ich muss euch sagen, es weihnachtet sehr.
Allüberall auf den Tannenspitzen
sah ich goldene Lichtlein sitzen.
Und droben aus dem Himmelstor
sah mit großen Augen das Christkind hervor…

Neulich, an Maurice' Geburtstag, als wir Stachelbeerwein tranken, habe ich es zum Besten gegeben. Es war ein großer Erfolg.

»Wunderbar!«, sagte Maurice. »Das muss ich mit nach Frankreich nehmen. Ob euer Führer es kennt? Vielleicht hat er es als Kind gelernt.«

Das zweite Gedicht, an das ich mich erinnere, ist von Rilke. In den Monaten bevor Jan kam, hatte ich einen Rilke-Fimmel, wie Doris es nannte. Rilke-Gedichte, wo ich ging und stand. Aber nur eines habe ich behalten:

Und Nacht und fernes Fahren, denn der Train
des ganzen Heeres zog am Park vorüber.
Er aber hob den Blick vom Clavecin
und spielte noch und sah zu ihr hinüber,

Beinah, wie man in einen Spiegel schaut.
So sehr erfüllt von seinen jungen Zügen
und wissend, wie sie seine Trauer trügen,
schön und verführender bei jedem Laut.

Doch plötzlich war's, als ob sich das verwische.
Sie stand wie mühsam in der Fensternische
und hielt des Herzens drängendes Geklopf.

Sein Spiel gab nach. Von draußen wehte Frische.
Und seltsam fremd stand auf dem Spiegeltische
der schwarze Tschako mit dem Totenkopf.

Merkwürdig, dass es gerade dieses Gedicht ist. Es
muss mir besonders gut gefallen haben.
   Ich sage es laut vor mich hin, und sie gehen
mich nichts an, diese Edelmenschen mit ihrem
Clavecin. Was ist das überhaupt, ein Clavecin?
Damals, als ich es noch konnte, habe ich nicht ein-
mal im Lexikon nachgeschlagen. Der schöne
Klang hat mir genügt. Dieser perfekt gereimte
Abschied. Geklopf. Totenkopf.
   Ich denke an Jan und mich. Für uns wehte keine
Frische aus einem Park. Es war kalt im Schuppen,
weil der Ofen nicht brennen durfte, und worauf
wir horchten, waren Schritte, die durch Steffens
Garten schlichen. Nein, unser Abschied war nicht
poetisch. Aus Jans Nase lief Blut, und er wimmer-
te.

14

Mitte März. Auf der Dorfstraße ist jetzt viel mehr Betrieb – Fuhrwerke, die zur Frühjahrsbestellung in die Felder hinausfahren. Düngen, eggen, säen – genau wie in dem Lied, das wir als Kinder gelernt haben. ›Im Märzen der Bauer die Rösslein anspannt…‹

Aber auf dem Henninghof gibt es keine Rösslein mehr, nur noch zwei uralte Ackergäule. Die guten Pferde sind schon lange eingezogen.

»Und wahrscheinlich längst krepiert«, sagt Gertrud. »Na ja, alles geht kaputt, warum nicht unsere Pferde.«

Sie und Maurice stehen früh um fünf auf und schuften, bis es dunkel ist. Ich möchte ihnen helfen, wenigstens im Garten arbeiten, im Stall. Ich könnte ein Kopftuch umbinden. Fast auf jedem Hof sind Evakuierte und Ausgebombte, wahrscheinlich würde ich kaum auffallen.

Aber Gertrud will es nicht.

»Das fehlt noch«, sagt sie. »Jetzt ganz zum Schluss. Du bleib man oben, Regine, und beguck dich von innen. In deiner Kammer knallt's wenigstens nicht.«

Draußen auf dem Feld hat es geknallt – Tiefflieger, die plötzlich hinter dem Wald auftauchten. Niemand hatte mit so einem Angriff gerechnet, und dann waren sie da, schossen mit Maschinengewehren auf alles, was sich bewegte. Als sie abdrehten, lag der alte Wittkau neben seinem Pferd.

»Jetzt haben wir den Krieg schon in Gutwegen«, sagte Gertrud erbittert, als Maurice und sie früher als sonst vom Feld zurückkamen. »Dabei liegen wir hier so abseits. Nicht mal an 'ner vernünftigen Straße.«

»Flugzeuge brauchen keine Straße«, sagte Maurice. »Und wenn ihr in Gutwegen nichts Schlimmeres erlebt als ein paar Tieffliegerangriffe, dann könnt ihr zufrieden sein.«

Auch Maurice war blass und aufgeregt. Er brüllte den Hund an, der zur Begrüßung an ihm hochspringen wollte, und aß kaum etwas zum Abendbrot, obwohl Gertrud immer wieder sagte: »Nu iss doch. Hungern kannste noch im Frieden.«

Frieden. Was für ein Wort. Gibt es das wirklich – Frieden? Die Russen stehen vor Stettin, die Amerikaner haben Köln erobert. Aus London kommen jeden Abend Aufrufe an die deutsche Bevölkerung, sich kampflos zu ergeben. »Leistet keinen Widerstand! Hängt weiße Fahnen heraus! Der Krieg ist verloren. Vermeidet unnötiges Blutvergießen.«

Aber im Deutschlandsender werden weiter Durchhalteparolen ausgegeben. Kein Wort von den Flüchtlingen, den Ausgebombten, der Auflösung an allen Fronten. Nur vom heldenhaften Kampf bis zur letzten Patrone. Und von den Wunderwaffen natürlich, die in Kürze bereitstehen werden.

»*Jeden Meter unseres blutgetränkten Heimat-bodens werden wir zurückerobern...*«

Gestern Abend haben wir es wieder gehört. Hans Fritzsche mit seinem Geschwafel.

»Dem dreh ich den Hals ab«, sagte Gertrud und schaltete das Radio aus. »Ob wirklich noch einer daran glaubt?«

Ich denke an meine Mutter. Sicher hat auch sie am Radio gesessen.

Im Oktober, als sie meine Großmutter pflegte und ich sie besuchte, hatten wir ein Gespräch. Unser letztes.

»Mutti«, sagte ich damals zu ihr, »du musst das doch endlich einsehen...«

Aber sie hielt sich die Ohren zu.

»Wenn das stimmt«, hat sie gesagt. »Wenn wir uns so geirrt haben... Nein, es stimmt nicht. So kann man sich nicht irren. Wie soll man denn da weitermachen?«

Die Wohnung meiner Großmutter ist im Norden der Stadt. »Proletenviertel« nennt es meine Mutter, obwohl sie und mein Vater dort aufgewachsen sind.

Meine Großmutter lag auf dem Sofa, als ich kam. Ihr Gesicht sah zwischen dem roten Plüsch noch magerer und strenger aus als sonst.

»Je länger man liegt, umso kränker wird man«, sagte sie. »Mit dem Bein fängt's an, mit dem Herzen hört's auf. Ist vielleicht auch besser so. Wer weiß, was uns noch bevorsteht.«

»Sei doch still«, sagte meine Mutter bedrückt.

»Was habt ihr denn?«, fragte ich.

Meine Mutter holte ein Blatt Papier aus der Schürzentasche, faltete es auseinander und schob es mir hin.

NAZISCHWEINE stand darauf. In dicken roten Buchstaben.

Darunter war ein Galgen gezeichnet, an dem ein Strichmännchen baumelte.

»Jetzt kommen sie wieder aus ihren Löchern raus, die Roten«, sagte meine Mutter. »Die ganze Zeit haben sie gekuscht. Da waren sie froh, wenn Vati für sie ein gutes Wort einlegen konnte.«

»Die waren ja bloß neidisch auf euch«, sagte meine Großmutter. »Gut, dass Vater das nicht mehr erleben muss.«

Meine Mutter starrte auf den Zettel.

»Wahrscheinlich war es die Schneider«, sagte sie. »Die vergisst das doch nicht.«

»Was denn?«, fragte ich.

»Dass sie dreiunddreißig ihren Mann abgeholt haben.«

Frau Schneider wohnte ein paar Häuser weiter. Ihre beiden Töchter waren ungefähr so alt wie ich.

»Warum denn?«, fragte ich. »Warum haben sie ihn abgeholt?«

»Weil er Kommunist war«, sagte meine Mutter.

»Ist er wiedergekommen?«, fragte ich.

Meine Mutter zuckte mit den Schultern.

»Er ist in der Haft verstorben«, sagte meine Großmutter. »Er hatte es ja sowieso an der Lunge.«

113

»Starr mich nicht so an«, sagte meine Mutter. »Ich kann doch nichts dafür. Meinst du, der hat mir nicht Leid getan? Und die Frau... Mit der bin ich doch früher zusammen zur Schule gegangen.«

Sie steckte den Zettel wieder ein.

»Es war doch seine eigene Schuld. Er war ein Staatsfeind. Und wir mussten Deutschland neu aufbauen.«

»Wir!«, sagte ich. »Wie sich das anhört. Wir! Da wird mir ganz schlecht.«

Meine Großmutter richtete sich auf.

»Sei nicht frech zu deiner Mutter.«

»Aufbauen! Wir! Und wenn wir den Krieg verlieren und wenn die anderen Deutschland neu aufbauen wollen und wenn sie dich dann abholen, weil du für sie ja ein Staatsfeind bist, dann ist das ein Verbrechen, ja?«

Meine Mutter antwortete nicht. Und da fing ich an, ihr zu erzählen, was ich von London gehört hatte. Wie es wirklich stand mit dem Krieg. Was im besetzten Ausland alles geschehen war. Von den Konzentrationslagern...

»Du hörst Feindsender!«, sagte sie. »Ich lasse dich allein, und du hörst Feindsender. Woher weißt du überhaupt... Ich verbiete dir das.«

Ich sagte, dass sie mich nicht mehr daran hindern könne.

»Die lügen doch!«, rief sie. »Die lügen!«

»Und die anderen behaupten, bei uns würde gelogen. Wer hat Recht?«

»Der Führer tut so was nicht«, sagte sie.

»Und wo sind die ganzen Juden in Deutschland geblieben?«, fragte ich. »Sogar ich weiß noch, wie viele es bei uns in Steinbergen gegeben hat. Dobrin. Und Kulp. Und Dänemark. Und Löwenthal. Lena Kulp und Sally Löwenthal gingen in meine Klasse. Wo sind die denn alle?«

Sie drückte die Hände an die Ohren.

»Das stimmt nicht!«

»Doch!«, schrie ich. »Die ganze Welt weiß es. Und du hältst dir die Ohren zu!«

»Die Juden haben Deutschland ins Unglück gebracht«, sagte sie.

Ich fing an zu heulen.

»Mutti«, sagte ich. »Du bist doch gar nicht so...«

Wir heulten beide und sie sagte: »Wenn das stimmt – wenn wir uns so geirrt haben ... wie soll man denn da noch weitermachen? Es kann einfach nicht wahr sein.«

So habe ich meine Mutter zum letzten Mal gesehen: Sie saß am Tisch und hielt sich die Ohren zu.

»Dabei ist sie doch 'ne ganz sympathische Frau«, sagte Gertrud. »Die hat bestimmt keiner Fliege was zu Leide getan.«

»Nein, meine Mutter nicht. Im Gegenteil. Wenn jemand Hilfe brauchte in der Nachbarschaft, sie war immer da. Und wäre ihr ein jüdisches Kind über den Weg gelaufen...«

»Dem hätte sie wahrscheinlich was zu futtern gegeben.«

Gertrud nickte. »Jaja, das sind so die guten Menschen. Aber dämlich quatschen, das ist leider auch schlimm. Konnte sie denn nicht mal 'n bisschen nachdenken?«

»Alle sind nicht so schlau wie du, chérie«, sagte Maurice. »Das ist sehr kompliziert. Daran werden wir noch lange zu knacken haben.«

»Wir?« Gertrud sah ihn an. »Ich höre immer wir. Du doch nicht. Du bist doch Franzose.«

»Wir alle«, sagte Maurice.

Gestern war wieder ein Luftangriff auf Steinbergen, mitten am Tag. Die Petrischule ist getroffen worden. Sie liegt in dem Viertel, in dem meine Großmutter wohnt, ganz in ihrer Nähe.

Ob meiner Großmutter etwas passiert ist?

Die Vorstellung, dass ich sie vielleicht nicht wieder sehe, berührt mich kaum. Ich habe meine Großmutter nie gemocht. Nur an meinem Großvater habe ich gehangen, meinem Großvater mit seiner Werkstatt, in der es nach Holz roch, und der mir Geschichten erzählte. Selbst erfundene Geschichten, meistens von Hansi Langohr, einem großen weißen Kaninchen. Mein Großvater war Kaninchennarr. Hinten im Hof standen die Ställe, Holzkisten mit Maschendraht, und lauter graue Kaninchen dahinter. Nur Hansi Langohr, der Held unserer Geschichten, war weiß.

Mein Großvater ist schon lange tot.

»Gut, dass Vater das nicht erleben musste«, sagte meine Großmutter, wenn sie sich über irgendetwas ärgerte.

Und sie ärgerte sich dauernd.

Ich sehe sie vor mir, meine Großmutter in ihrem dunkelblauen Mantel und dem dunkelblauen Hut auf dem Dutt. Vor ihrer Heirat ist sie Dienstmädchen bei einem Landgerichtsrat gewesen: »Sehr feine Menschen. Und die Gnädige immer mit Schleierhut und dunkelblauem Mantel ...«

Deshalb trägt auch meine Großmutter dunkelblaue Mäntel. Einen für sonntags, einen für alltags. Jedes Mal, bevor sie ihn in den Schrank zurückhängt, wird er gelüftet und gebürstet. Meine Großmutter ist dürr und streng und so sparsam, dass sie sogar mit dem Salz geizt.

»Musste sie ja auch«, sagte meine Mutter. »Opa mit seinem Rheumatismus konnte doch nur noch stundenweise arbeiten. Und in der schlechten Zeit hatten sie auch uns noch auf dem Hals, und trotzdem sollte alles ordentlich sein.«

Ordentlich. Dieses Wort kam bei meiner Großmutter in jedem zweiten Satz vor.

Ordentlich aussehen.

Eine ordentliche Wohnung.

Ein ordentlicher Mensch ...

In den Hungerjahren hatte sie einen Garten gepachtet, draußen vor der Stadt. Damit er »ordentlich aussah« und »ordentlich was abwarf«, mussten wir jeden Tag dort arbeiten, sogar ich. Unkraut zupfen, Steine sammeln, Beeren pflücken, Zwiebeln herausziehen ... Der Garten war viel zu groß, aber wir lebten von ihm. Als 1935 mein Großvater starb und meine Großmutter es mit dem Herzen bekam, sollten meine Eltern ihn übernehmen.

Das war einer der seltenen Fälle, in denen meine Mutter sich gegen sie auflehnte.

»Nie!«, rief sie. »Nie wieder einen Garten«, worauf meine Großmutter vermutlich ihr Lieblingssprichwort gebrauchte: Hochmut kommt vor dem Fall.

Seit Kriegsbeginn hat sie es unzählige Male wiederholt. Sicher auch nach meiner Verhaftung.

Vielleicht hatte sie sogar Recht. Wenn wir den Garten behalten hätten, wäre ich nicht zu Steffens gegangen, wäre ich Jan nicht begegnet, säße ich nicht hier in der Giebelkammer, müsste meine Mutter mich nicht für tot halten.

Wer uns wohl verraten hat?

Steffens nicht. Steffens ist in der gleichen Nacht verhaftet worden.

Eigentlich bleibt nur Feldmann.

Erzählt habe ich nie etwas von Jan und mir, keinem Menschen, auch nicht Doris. Obwohl ich es so gern getan hätte, wenn die Tage zwischen den Nächten mir endlos vorkamen und ich es kaum aushielt vor Angst und Glück und Zweifel.

Diese kurzen Nächte. Was wusste ich überhaupt von Jan? Ich kannte seine Stimme, sein Gesicht, seinen Körper. Ich träumte mir einen Jan zurecht. Aber war es der wirkliche?

Der Jan, den ich kenne, ist zärtlich und weich.

Er hasst nicht. Er will sich nicht rächen. Er sagt nie: »Die Deutschen haben meinen Vater umgebracht.« Er sagt: »Es waren ein paar Mörder. Und wenn dieser Krieg vorbei ist, dann müssen wir neu anfangen. Alle, die wollen, dass so etwas nie wieder geschieht. Du musst dabei helfen.«

»Aber wie?«, frage ich.

»Mit den Menschen reden. Ihnen erklären, was wir wissen.«

»Wenn ich an meine Mutter denke…«, sage ich. »Ob die es versteht?«

»Du musst es ihr richtig erklären, dann versteht sie es. Du und ich, wir haben etwas begriffen, das müssen wir anderen weitergeben, damit sie es auch begreifen. Das muss unsere Spur werden. Jeder Mensch muss Spuren legen.«

Wir sprechen über so vieles, jede Nacht. Aber lernt man so einen Menschen kennen?

Auch darüber haben wir gesprochen.

»Was tust du nach dem Krieg, Jan? Gehst du fort?«

»Ich muss nach Hause. Nach Krakau.«

»Und ich?«

»Ich weiß nicht, moje kochanie. Ich möchte dich mitnehmen. Aber ich weiß nicht, ob ich es darf. Es wird viel Hass geben nach dem Krieg.«

»Was sollen wir tun?«

»Nichts vergessen, Regina.«

»Ich nicht, Jan. Vergisst du mich?«

»Ich will nicht. Aber die Zeit tut manchmal komische Dinge.«

»Warum sagst du das?«

»Weil ich Angst habe, etwas zu versprechen, was ich vielleicht nicht halten kann. Wir kennen uns nur bei Nacht…«

Ich stehe auf. Ich will gehen, aber er hält mich fest.

»Wenn wir so sind, wie wir jetzt sind, werden wir nichts vergessen. Dann kommst du zu mir, oder ich zu dir, dann können wir leben.«

»Leben wir denn jetzt nicht, Jan?«

»Doch, wir leben. Aber nur halb. Die Nacht ist nicht das Leben. Leben ist miteinander arbeiten und essen und Freunde haben und baden gehen und ins Kino und krank sein und sich streiten und wieder vertragen. Ich möchte gern mit dir leben.«

»Ich mit dir auch, Jan.«

Aber die Zeit reicht nur, um uns zu lieben. Jan hat Recht, das ist nicht genug. Und doch so viel, dass ich den ganzen Tag auf den Abend warte. Wenn ich bei ihm bin, ist alles gut.

»Spuren legen«, hat Jan gesagt.

Maurice gefällt das.

»Ich werde es mir merken«, sagt er. »Spuren legen. Später, in Frankreich, wenn ich wieder Lehrer bin, will ich daran denken. Das sind dann auch Spuren von deinem Jan.«

»Und ich bin mal wieder 'ne Null«, sagt Gertrud. »Ich lege Spuren nur in den Acker. Für Bohnen.«

Maurice schüttelt den Kopf.

120

»Du bist selbst eine Spur, chérie«, sagt er und Gertrud wird rot.

Und ich? Welche Spur werde ich legen, wenn ich hier herauskomme?

»Du hast so viel gelernt«, sagt Maurice. »Dir wird schon etwas einfallen.«

Ich weiß nicht, ob Chemie noch das Richtige ist für mich. Ich möchte mit Menschen zu tun haben. Etwas über Menschen erfahren, etwas mit Menschen machen. »Formeln und Vokabeln sind nicht so wichtig. Warum die Menschen so sind, wie sie sind, das muss man wissen.«

Auch das hatte Jan gesagt. So viel Neues kam von ihm. Aber die Zeit war immer zu kurz.

Doch, ich hätte gern mit Doris über Jan gesprochen. Ich hätte es gebraucht. Ihr gegenübersitzen, nach der Schule in ihrem Zimmer, es laut sagen, meine Stimme hören, wie sie seinen Namen nennt: Er heißt Jan. Wir treffen uns fast jede Nacht.

Ein paar Mal hatte ich den Anfang gemacht.

»Du, Doris, ich…«

Aber weiter bin ich nie gekommen. Ich war nicht sicher, was sie wirklich dachte, früher nicht, jetzt nicht.

Und dann war der fünfzigste Geburtstag ihres Vaters. »Du bist eingeladen«, sagte sie. »Als Tischdame für Wolf.«

Wolf, ihr Vetter – ich kannte ihn von früher, als er ein Junge war und die Ferien bei Weißkopfs verbracht hatte. Wenn er einen ansah, hob er die Augenbrauen fast bis an die Haarwurzeln. Jetzt war er Leutnant, Panzerjäger, schwer verwundet. Ich konnte nicht absagen. Aber ich wäre lieber zu Jan gegangen.

»Zieh dein weißes Kleid an«, sagte Doris. »Es wird ein Fest.«

Von Anfang an hatte ich das Gefühl, dass ich nicht auf dieses Fest gehörte. Die Herren fast alle in Uniform, die Damen in langen Kleidern, Kerzenlicht – woher haben sie die vielen Kerzen? – zwei Mädchen mit weißen Schürzen servieren Getränke auf silbernen Tabletts.

Frau Weißkopf nimmt mich in Empfang. Ich kenne sie gut, auch beim Kochen habe ich ihr schon zugesehen. Heute, in dem schwarzen Samtkleid, ist sie förmlich und auf pompöse Art fremd.

»Hier bringe ich Doris' Freundin Regine«, sagt sie in den Raum hinein. »Als Verstärkung der jungen Generation. Regine, das ist General Hoffmann.«

Sie geht mit mir von einem Gast zum anderen – Uniformen, Orden, Abendkleider.

Auch Dr. Weißkopf trägt Uniform und einen Orden. Mein Vater ist nur Gefreiter. Mein Freund ein polnischer Zwangsarbeiter. Wie redet man mit einem General?

Wolf, der Leutnant, nimmt die Hacken zusammen: »Wenn ich mir erlauben darf, Herrn General daran zu erinnern…«

Es kommt mir vor wie im Kino. Ich denke an

Jochen Creutzer, an die Bäuerin, an Walter Henning. Wie viele Millionen sind in diesem Krieg schon umgekommen?

Ich denke an Jan und mich und möchte wieder gehen.

»Ja, unser Reginchen«, sagt Wolf. »So groß geworden!«

»Wenn ich mir erlauben darf, Herrn Leutnant daran zu erinnern, dass ich nicht mehr zehn bin«, sage ich.

Er hebt die Augenbrauen so hoch wie früher, sieht mich an und lacht. Beim Essen erzählt er mir, dass er sieben Monate im Lazarett gelegen hat, Lungenschuss und noch alles Mögliche dazu.

»Ich hatte schon gehofft, für mich wäre der Krieg vorbei«, sagt er. »Und jetzt muss ich doch wieder raus.«

»Vielleicht legen Herr General ein gutes Wort für dich ein«, murmele ich und er lacht wieder und sagt: »Du bist wirklich groß geworden.«

Wir sitzen an der geschmückten Tafel und essen. Es gibt Suppe, Fisch, Hühnerfrikassee – lauter Dinge, die ich nur noch aus Mutters Kochbuch kenne. Die Selbstverständlichkeit, mit der sie herumgereicht, aufgelegt und verzehrt werden, macht mich immer bockiger. Ich habe Hunger, aber ich esse kaum etwas. Ich möchte bei Jan sein. Die hier am Tisch sind seine Feinde. Meine Feinde. Ich will nicht mit ihnen essen.

Und dann höre ich, wie die Dame mir gegenüber sagt: »Diese Gesichter! Direkt tierisch.«

Sie spricht von den russischen Kriegsgefangenen. Ich habe sie gesehen, ein grauer Haufen, wahrscheinlich auf dem Marsch in ein anderes Lager, abgerissen und ausgemergelt. Es war mittags, als ich sie traf, am Stadtrand, nicht weit von der Fabrik. Und ich habe auch eine Frau gesehen, die hinter ihnen herlief und dem Letzten ein Stück Brot zusteckte. Eine dürre Frau, so ähnlich wie meine Großmutter. Sie wusste bestimmt, wie gefährlich es war, was sie tat.

Und dieses Weib hier am Tisch sagt: »Direkt tierisch.«

Ich kann es nicht mehr ertragen.

»Das sind keine Tiere«, sage ich. »Das sind Menschen, genau wie wir.«

Es geht mir wie bei dem Schulaufsatz. Ich muss es loswerden.

Wolf greift nach meinem Arm, als wolle er mich zurückziehen und lässt ihn wieder los. Es wird still. Ich sehe die Gesichter, Hände mit Gabeln schweben in der Luft, keine Bewegung, wie bei Dornröschen nach dem Spindelstich.

Und schließlich die Stimme von Dr. Weißkopf: »Regine, ich muss dich doch bitten, in meinem Haus die Russen nicht mit uns in einem Atemzug zu nennen.«

Stimmen setzen wieder ein, Gabeln tauchen ins Hühnerfrikassee, Wein wird nachgeschenkt.

Ich will aufstehen, aber Wolf hält mich fest.

»Nicht doch«, sagt er leise.

Nach dem Essen gehe ich auf die Diele hinaus. Frau Weißkopf folgt mir.

»Musste das sein, Regine?«, fragt sie ärgerlich. »In deinem Alter sollte man allmählich wissen, was man sagen darf und was nicht.«

Ich antworte nicht.

»Ich glaube, du bist verrückt geworden«, sagt Doris. »Mein Vater konnte gar nicht anders reagieren. Bei all den Leuten hier, da weiß man doch nie…«

»Halt den Mund«, fährt ihre Mutter sie an und ich warte, bis sie mich allein lassen, und nehme meinen Mantel und gehe.

Bei all den Leuten hier…

Was meinte Doris damit? Traut ihr Vater seinen Gästen nicht? Auf welcher Seite steht er? Muss man Angst vor ihm haben? Oder hat er selber Angst?

Doris, ihr Vater, ihre Mutter – durfte man ihnen trauen? Ich war froh, dass Doris nichts wusste von Jan und mir.

»Es gibt Leute, die reden sich um Kopf und Kragen«, schimpfte Steffens, als er die Geschichte erfuhr. »Überall lungern doch Spitzel herum. Da braucht bloß einer zu sein, der die Ohren aufstellt und denkt: Die Kleine da, die müssen wir uns mal näher ansehen – und dann geht er zu Feldmann und fragt dies und das und hört, dass du nachts so gern spazieren gehst…«

»Feldmann hat mich noch nie gesehen«, sagte ich. »Ich habe aufgepasst.«

Aber dass überall Spitzel saßen, stimmte. In Steinbergen war gerade eine Frau verhaftet worden, die Inhaberin eines Milchgeschäfts. Vormittags, als ihr Laden voller Leute stand, hatte sie die Nachricht vom Tod ihres Sohnes erhalten. Mit dem Brief in der Hand war sie in den Laden gestürzt: »Er ist tot!«, hatte sie geschrien. »Er ist tot. Dieser verdammte Krieg. Dieser verdammte Hitler! Der hat ihn umgebracht!«

Ein paar Frauen hatten sie aus dem Laden gedrängt, die Tür hinter ihr geschlossen. Man hörte sie immer noch schreien. Nachmittags wurde sie abgeholt. Weggebracht.

Auch Fräulein Rosius ist nicht mehr da.

Nachdem Doris und ich bei ihr gewesen waren, hatte sie zwar nicht mehr »setzen«, sondern »Heil Hitler« gesagt, aber nie in voller Deutlichkeit. Es klang wie »Heiler« oder »Hiller« – an sich das Übliche. Die meisten zogen die Silben zusammen, wie sich das ergibt beim häufigen Gebrauch eines Wortes.

Aber Ilse Mattfeld sagte: »Die will nicht. Das merkt man doch.«

»Ich glaube, du bist wütend auf sie, weil du eine Fünf geschrieben hast«, meinte Doris, und Ilse Mattfeld erwiderte: »Komisch, wie du sie immer verteidigst.«

Da hielt Doris den Mund.

Wieder eine Biologiestunde. Wieder Rassenkunde.

»Dass die nordische Rasse besondere Vorzüge

hat, ist wissenschaftlich in keiner Weise erwiesen«, sagte Fräulein Rosius. »Es gibt zahlreiche bedeutende Menschen mit klar ostischen Merkmalen.«

Am nächsten Tag ist sie nicht mehr in die Schule gekommen.

Stattdessen erschienen zwei Gestapo-Beamte, richteten sich im Direktorat ein und holten uns nacheinander zum Verhör.

»Ich weiß von nichts«, sagte Doris zu mir, bevor sie ging. »Ich habe an meinen gefallenen Freund gedacht.« Ich kam nach ihr an die Reihe.

Die beiden Gestapomänner blickten mich väterlich an. Sie waren schon älter. Der eine sah mager und krank aus, der andere hatte einen Bauch und ein rundes, gutmütiges Gesicht. Er hätte Bäcker sein können.

»Sie sind Regine Martens?«, fragte er und lächelte freundlich. »Ihr Vater ist Parteigenosse?«

»Ja«, sagte ich. »Seit 1930.«

»Das wissen wir«, sagte er. »Und da können Sie uns auch sicher sagen, was die Studienrätin Rosius in der letzten Biologiestunde im Zusammenhang mit der nordischen Rasse geäußert hat.«

Ich schüttelte den Kopf. Nein, das könnte ich nicht. Ich hätte französische Vokabeln gelernt. Ich wüsste nur, was die anderen später erzählt hätten.

»Schade«, sagte der Dicke. »Ihre Freundin Doris Weißkopf hat ja auch nicht zugehört. Was für eine Note haben Sie eigentlich in Biologie?«

»Eine Zwei«, sagte ich. Meine Hände waren feucht, wie immer, wenn ich Angst hatte. Meine

Bluse bekam unter den Armen große nasse Flecke. Der Dicke richtete interessiert seine Augen darauf.

»Eine Zwei?«, sagte der Magere. »Obwohl Sie nicht aufpassen?«

»Meistens passe ich auf«, sagte ich. »Aber an dem Tag konnte ich meine Vokabeln nicht, weil ich am Nachmittag vorher Lazarettdienst hatte.«

»So«, sagte er. »Lazarettdienst? Hat die Studienrätin Rosius eigentlich den Hitlergruß gebraucht?«

Ich sagte »Ja« und konnte gehen.

»Damit waren sie zufrieden?«, wunderte sich Maurice.

»Wirklich nette Menschen, diese Gestapo«, meinte Gertrud.

»Wieso?«, sagte ich. »Ist das denn nicht glaubwürdig, dass man in der Biostunde mal Vokabeln lernt? Und sie hatten ja bestimmt genug andere Aussagen. Die Rosius ist jedenfalls nicht wiedergekommen.«

»Die war genauso bekloppt wie du mit deinem Aufsatz«, sagte Gertrud. »Und mit deinem ›Russen sind auch Menschen‹. Jetzt rauft sie sich wahrscheinlich die Haare. Wenn sie's noch kann.«

In der Schule hieß es, sie sei strafversetzt. Ich hatte ein Chemiebuch, das sie mir geliehen hatte, und fragte Dr. Mühlhoff nach ihrer neuen Anschrift.

»Die kenne ich nicht«, sagte er.

»Kann ich die Adresse im Direktorat bekommen?«, fragte ich.

»Wenn ich Sie wäre, würde ich es vergessen.«

Steffens hatte Recht. Spitzel überall. Man musste nur erst auf der anderen Seite stehen, um dahinter zu kommen.

War ich zu unvorsichtig gewesen?

Ich sitze in der Giebelkammer und spüre wieder diese Angst. Sie wird größer und größer, wie eine Geschwulst, die in mir wächst.

Im Keller hatten sie von einer Bauerntochter aus Rodingen gesprochen, die mit einem Polen erwischt worden war.

»Die Haare haben sie ihr abgeschnitten«, erzählte Frau Lieberecht, deren Schwester in Rodingen wohnt. »Haare ab und den ganzen Tag an den Pranger gestellt. Und dann hat die Gestapo sie mitgenommen.«

Schweigen. Und in das Schweigen hinein Feldmanns Stimme: »Aufhängen sollte man solche Huren. Gar nicht lange fackeln. Gleich aufhängen.«

In dieser Nacht wagte ich mich kaum hinaus. Kurz vor halb elf hatte es Fliegeralarm gegeben. Um dreiviertel zwölf kam Entwarnung. Ich wartete über eine Stunde, bis kein Laut mehr im Haus zu hören war. Erst dann schlich ich mich auf die Straße. Nach jedem Schritt sah ich mich um. Nein, nichts. Kein Schatten, kein Geräusch. Als ich endlich bei Jan war, zitterte ich.

»Es ist kalt draußen«, sagte ich.

»Du darfst nicht mehr kommen«, sagte Jan. »Du hältst das nicht durch. Du schläfst auch nicht genug.«

»Ich schlafe nachmittags«, sagte ich.

Er legte mich auf das Sofa, deckte mich zu, setzte sich zu mir. Ich fühle seine Finger auf meinem Gesicht, sie streichen über die Stirn, die Nase, das Kinn, den Hals. Die Lampe flackert. Seine Augen sind so hell. Ich sehe nur seine Augen.

»Man soll aufhören, solange es schön ist, moje kochanie«, flüstert er.

»Ein vernünftiger Junge, dein Jan«, sagt Gertrud. »Auf den hättest du hören sollen.«

Aber ich glaube, er wollte es gar nicht. Wir haben Abschied genommen an diesem Abend. Wir nannten es Abschied. Doch alles, was Jan tat, bedeutete nur: Komm wieder.

»Ja, ja, ma petite«, sagte Maurice. »Ein Mund kann viel reden.«

Maurice hat Sorgen. Ein paar von seinen Kameraden, die auf benachbarten Höfen arbeiten, wollen fliehen, zu den Engländern, die schon in Osnabrück sind.

»Sie sind verrückt«, sagt Maurice. »Jetzt noch, ganz zum Schluss! Wenn man sie fasst, hängt man sie auf, und wir andern müssen es büßen. Warum zu den Engländern laufen? Die kommen von ganz allein.«

Von Westen die Amerikaner und Engländer,

von Osten die Russen. Alles löst sich auf. Gertrud sagt, dass Steinbergen mit Flüchtlingen überfüllt ist. Sie schlafen in Schulen, in Tanzsälen, Kinos. Endlose Trecks verstopfen die Landstraßen, Bauern, die ihre Dörfer und Höfe im Osten verlassen haben, mit keinem Besitz mehr als dem, was auf den Pferdewagen Platz hat. Sie fliehen vor der heranrückenden Front, vor den Russen. Schreckliche Dinge werden erzählt, alles spricht von Plünderungen, Vergewaltigungen, Erschießungen.

»Jetzt regen sie sich auf«, sagt Maurice.

»Aber was ist in Russland passiert?«

»Vor den Amerikanern läuft keiner weg«, sagt Gertrud, und Maurice sieht sie kopfschüttelnd an und meint, das könne man wohl nicht vergleichen.

»Die Russen, die hatten den Krieg in der Heimat. Und was für einen Krieg! Der deutsche Angriff, die Besatzung, dann der Rückzug. Jetzt auf ihrem Vormarsch sehen sie die verbrannten Dörfer und hören, was alles passiert ist. Wenn ich Russe wäre, wer weiß, was ich täte.«

Er schweigt, rührt in seinem Pfefferminztee.

»Hass erzeugt nun mal Hass. Dieser Krieg ist noch längst nicht vorbei. Der geht weiter, auch wenn nicht mehr geschossen wird. Ihr werdet noch an mich denken.«

Die Bauern in Gutwegen haben nicht nur Angst vor den Russen, sondern auch vor den Flüchtlingen.

»Wenn die in ein Dorf kommen, tun sie, als ob alles ihnen gehört«, heißt es, und Maurice schüttelt wieder den Kopf und sagt: »Gegessen hat jeder und bezahlen sollen die anderen.«

Aber die Trecks ziehen an Gutwegen vorbei. Wir liegen zu weit abseits. Die Straße, die von der Chaussee abbiegt und durch Wald und Felder hierher führt, ist nicht einmal geteert.

»O Gott, o Gott«, jammert Gertrud. »Ob wir auch noch fortmüssen?«

»Wohin willst du denn?«, fragt Maurice. »Bleib, wo du bist und warte ab.«

»Und was machen die Russen mit uns?«

»Hast du ihnen was getan?«, fragt Maurice.

»Als ob's darauf ankommt, wenn die Welt auf 'm Kopp steht«, sagt Gertrud. Maurice fährt mit den Fingern durch ihr Haar, das schon wieder anfängt auszubleichen.

»Ich bin ja auch noch da. Ich passe auf euch auf.«

Gertrud schiebt ärgerlich seine Hand weg.

»Du kannst sie ja auf die Nase küssen«, sagt sie. »Vielleicht mögen sie das.«

15

Oben in der Giebelkammer. Ich stehe am offenen Fenster und sehe nichts. Eine Nacht aus schwarzer Watte. Stille und Dunkelheit, nur die Tiere rühren sich manchmal, es klingt fremd, als ob es nicht dazugehört.

Die Bäuerin ist tot.

Gestern Morgen lebte sie noch. Jetzt liegt sie auf ihrem Bett, in dem schwarzen Kleid, dem schwarzen Kopftuch, unter den gefalteten Händen die Bibel. Sie sieht aus wie immer, ernst und verschlossen. Ihr Gesicht war ja schon lange wie aus Stein.

Am Vormittag war sie noch einmal bei mir. Gertrud und Maurice gruben den Garten um, da hörte ich ihre Schritte auf der Treppe. Sie setzte sich hin, schwieg, sagte schließlich: »Heute Mittag gibt es Klütersuppe und Pellkartoffeln mit Stippe«, schwieg wieder und stellte dann ihre Frage.

Ich gab meine Antwort und sie sagte: »Und keiner von ihnen hier auf dem Friedhof. Vier Söhne, und nicht mal ein Grab.«

Ich sagte, dass man nach dem vorigen Krieg die Toten nach Hause geholt hätte, aber darauf antwortete sie nicht mehr. Sie blieb noch eine Weile sitzen, stand dann auf und ging.

Später brachte mir Gertrud die Klütersuppe und die Pellkartoffeln.

»Bei euch in Steinbergen hat's schon wieder gebrannt«, sagte sie. »Diesmal hat's den Bahnhof erwischt. Die Zuckerfabrik soll auch einen Treffer abgekriegt haben.«

»Und die Konservenfabrik?«, fragte ich.

»Davon hat Teltow nichts gehört«, sagte sie.

133

»Ich fahre morgen mal hin und seh nach.« Sie ging zur Tür. »Ich muss sowieso versuchen, ob ich für Muttern Herztropfen auftreiben kann.«

In diesem Augenblick hörten wir das Motorengeräusch. »Ich glaube, da kommt ein Auto«, sagte Gertrud.

Wir stellten uns hinter die Gardine und sahen, wie ein Militärauto ins Dorf fuhr. Ein offener Kübelwagen, mit vier Soldaten darin.

»Was wollen die?«, flüsterte Gertrud. Ihre Finger krallten sich in meinen Arm. »Du musst dich verstecken. Lauf auf den Speicher.«

Ich wurde ganz hohl vor Angst. Ich konnte mich nicht rühren. Ich stand hinter der Gardine und starrte nach draußen. Das war es, was ich gefürchtet hatte, morgens beim Aufwachen, abends vor dem Einschlafen und in jeder Minute dazwischen. Dass mich jemand bemerkt und verraten hätte, dass sie kämen, um mich zu holen. So wie damals.

Der Wagen hielt. Nicht vor unserem Haus, sondern schräg gegenüber bei Kruses. Die Soldaten sprangen heraus. Zwei liefen in den Krusehof, zwei blieben vor dem Tor stehen, die Gewehre schussbereit in den Händen.

Gertrud ließ meinen Arm los.

»Die wollen gar nicht zu uns«, flüsterte sie.

»Vielleicht kommen sie noch«, flüsterte ich zurück.

Ich wollte tun, was Gertrud gesagt hatte, auf den Speicher rennen, mich in dem Versteck verkriechen, das Maurice gleich zu Anfang vorbereitet hatte. Aber ich konnte meine Beine nicht bewegen, so als gäbe es zwischen ihnen und dem Kopf keine Verbindung mehr.

»Da sind sie schon wieder«, flüsterte Gertrud.

Ich sah die Uniformen in der Hoftür und dachte: Jetzt kommen sie und holen mich.

Dann hörte ich die Schreie. Eine Frauenstimme.

»Fritz! Fritz! Fritz!«, schrie sie, und ich sah den jungen Mann, der zwischen den beiden Soldaten ging. Sie hielten ihn fest, er hatte den Kopf gesenkt, und die schreiende Frau war Frau Kruse. Sie lief hinter ihnen her.

»Fritz!«, schrie sie. Immerzu nur: »Fritz!«

»O Gott«, flüsterte Gertrud. »Das ist ja Fritz Kruse!«

Die Soldaten schoben ihn in den Kübelwagen.

Frau Kruse stürzte auf ihn zu, schrie, klammerte sich an ihn. Er hob den Kopf und sagte etwas, und die anderen rissen sie von ihm los und stießen sie zur Seite. Ich sah, wie sie stolperte, hörte das Motorengeräusch, sah das Auto wegfahren, hörte Frau Kruse wieder schreien. Jemand kam, hob sie auf, brachte sie ins Haus. Keine Schreie mehr, nur noch der Motor. Er wurde leise, verklang in der Ferne.

»Sie sind weg«, sagte Gertrud und ließ sich auf den Stuhl fallen. »Der Fritze Kruse ...«

Sie schloss die Augen und schlug sich mit der Faust gegen die Stirn.

»So was Beklopptes. Versteckt sich ausgerechnet zu Hause. Wo sie ihn doch zuallererst suchen. Und die alte Dagelmannsche gleich nebenan.«

»Was machen sie mit ihm?«, fragte ich und dachte an Jan, den sie auch geholt hatten, Jan und mich, jeden mit einem anderen Auto. Das schwarze Auto, in dem Jan verschwand...

»Ein Deserteur«, sagte Gertrud. »Was machen sie schon mit einem Deserteur? O Gott, und der Krieg ist doch fast vorbei.«

An diesem Abend las die Bäuerin wieder in der Bibel. Später sah ich, dass es der dreizehnte Psalm war.

»Wie lange soll ich sorgen in meiner Seele und mich ängsten in meinem Herzen täglich?«, las sie, und wir saßen um den Tisch herum und schwiegen. Die Augen der Bäuerin waren verquollen. Sie fuhr mit dem Finger an den Zeilen entlang, stockend und unsicher, als ob es ihr schwer fiele, die Worte zu entziffern.

Sie hatte lange geweint am Nachmittag.

»Zum ersten Mal«, sagte Gertrud. »Bei unsern Jungs hat sie keine Träne rausgekriegt. Und bei Fritze Kruse, da geht's plötzlich los. Dabei konnte sie ihn nicht mal leiden, weil er immer so 'n Rotzer war. Na ja, jetzt hat sie alle auf einmal beweint. Gut, dass es raus ist.«

»Wie lange soll sich mein Feind über mich erheben? Schaue doch, und erhöre mich, Herr, mein Gott«, las die Bäuerin, und ich dachte an die vielen Menschen, die wie sie in diesem Moment um Hilfe flehten – vielleicht auch Fritz Kruse, vielleicht auch Jan. Und ich dachte, was ich jetzt täte, wenn sie nicht Fritz Kruse, sondern mich geholt hätten, und daran, wie es war, als ich im Gefängnis um Hilfe gefleht hatte. Und ich dachte, dass ich es nicht mehr lange aushalten könnte, immer neue Tage, und jeden Tag heißt es, der Krieg geht zu Ende, aber er dauert und dauert, und ich hier auf dem Henninghof, bis sie wiederkommen und mich holen.

Es hört niemals auf, dachte ich, niemals, niemals. Die Worte dröhnten wie Hammerschläge in meinem Kopf, und darüber die Stimme der Bäuerin: »Erleuchte meine Augen, dass ich nicht im Tode entschlafe, dass nicht mein Feind rühme, er sei mein mächtig geworden...«

Ich fing an zu weinen.

»Es hört nie auf«, weinte ich. »Es hört nie auf. Es hört nie auf.«

»Komm«, sagte Gertrud. »Trink was.«

Sie goss mir Pfefferminztee ein. Ich nahm die Tasse und trank.

Die Bäuerin war verstummt. Sie saß da, die offene Bibel in den Händen und blickte auf die Fotografien an der Wand.

Dann legte sie die Bibel auf den Tisch und erhob sich schwerfällig.

»Wenigstens haben wir immer genug zu essen gehabt«, sagte sie mit einer Stimme, die merkwürdig fremd und blechern klang. Sie machte ein paar Schritte zur Tür hin, gab einen gurgelnden Seufzer von sich und sackte zusammen.

Maurice wollte ihr zu Hilfe kommen, aber sie lag schon am Boden.

»Mutter!«, schrie Gertrud.

Maurice kniete neben der Bäuerin. Er legte das Ohr auf ihre Brust, hob ihre Hand hoch, ließ sie wieder fallen und strich ihr mit einer sanften Bewegung über die Augen.

Gertrud saß noch auf ihrem Platz. Maurice stand auf und legte die Arme um sie.

»Es war ein guter Tod, chérie«, sagte er.

Gertrud sah ihn verständnislos an.

»Ein guter Tod«, wiederholte Maurice leise.

»So?«, sagte Gertrud.

Sie löste sich von Maurice, ging zu ihrer Mutter, blieb eine Weile neben ihr stehen, drehte sich dann zu Maurice um und sagte: »Ein gutes Leben wär auch nicht schlecht gewesen.«

Später trugen wir die Bäuerin zu ihrem Bett. Ich holte die Bibel, um sie ihr auf die Brust zu legen. Da sah ich, dass sie den dreizehnten Psalm gelesen hatte.

In der Nacht blieben wir bei ihr, um die Totenwache zu halten.

Gertrud hatte die Stühle neben das Bett gerückt. Sie saß oben am Kopfende, dann kam Maurice, dann ich. Auf dem Nachttisch brannte eine Kerze.

»Wir haben fünf«, sagte Gertrud. »Vielleicht reichen sie bis morgen früh.«

Ich war noch nie in diesem Zimmer gewesen.

Die Bäuerin hatte immer selbst ihr Bett gemacht. Es war ein niedriger Raum, weiß getüncht, mit zwei kleinen Fenstern. Die Ehebetten standen darin, ein Schrank, eine Kommode, eine Truhe, und es dauerte eine Weile, bis ich in dem Geruch ohne Widerwillen atmen konnte – so ein dumpfer und zugleich scharfer Geruch, nach altem Holz, verschwitzten Kleidern, Urin. Das Haus stand schon fast zweihundert Jahre. Ich dachte an die Menschen, die in den Betten gelegen hatten, an die vielen Kinder, die geboren worden waren, die vielen Toten. Vielleicht hatte jeder etwas von seinem Geruch zurückgelassen.

Schweigend saßen wir am Bett der Bäuerin. Ich sah in das stille, steinerne Gesicht und begriff zum ersten Mal, was das heißt, tot sein, nicht mehr leben. Ich dachte an die Haarsträhne auf dem Hochzeitsbild, und wie jung die Bäuerin gewesen war, wie sie lachte, und an die vielen Jahre von damals bis zu dieser Stunde. Ich dachte an die Zeit, die sie hinter sich gebracht hatte und an die Zeit, die vor mir lag. Meine Jahre. Meine Zeit. Die Bäuerin war tot, aber ich war jung, ich lebte, und am liebsten wäre ich aufgesprungen und losgelaufen, irgendwohin, nur um es zu fühlen, das Leben.

»Wann ist der Krieg endlich zu Ende«, sagte ich in die Stille hinein, und Gertrud fing an zu weinen, laut und hemmungslos, wie ein kleines Kind.

Maurice versuchte nicht, sie zu trösten. Er ließ sie weinen, und nach einer Weile hörte sie wieder auf.

Die zweite Kerze brannte herunter. Ich wurde müde, schlief, erwachte wieder. Alle Viertelstunde hörten wir den Schlag der Wanduhr aus der guten Stube. Elf, zwölf, eins.

»Noch fünf Stunden«, sagte Gertrud. »Um sechs hole ich die Nachbarn.«

Sie ging in die Küche und kam mit einem Tablett wieder. Sie hatte Kaffee gekocht und Brote zurechtgemacht. Wir aßen und tranken.

»Wenigstens haben wir immer genug zu essen gehabt«, sagte Maurice. »Das waren ihre letzten Worte.«

Er ging zum Kopfende und sah auf das Gesicht der Bäuerin. »Als ich hierher kam«, sagte er, »war ich verrückt vor Hass. Mein Land war von den Deutschen überfallen worden, mein Bruder getötet, ich musste weg, weg von meiner Frau, von meinem Sohn, meiner Arbeit. Ich konnte nichts denken, nichts fühlen, nur Wut und Hass. Und dann stand sie vor mir und hat mich angesehen und gesagt: ›Wie heißt du? Moritz?‹, und hat mir meine Kammer gezeigt und mein Bett bezogen. Bezogen – nicht das Bettzeug hingeworfen. Sie hat mir meinen Platz am Tisch gegeben und mir das Gleiche auf den Teller getan wie den anderen. Sie hat mich aufgenommen und ich habe dazugehört. Und eines Tages war mein Hass verschwunden. Ich hasste die Deutschen nicht mehr. Nur noch die, die wirklich Schuld waren an diesem Krieg, aber nicht mehr alle.«

Fast die gleichen Worte wie von Jan. Ein Pole, ein Franzose, und die gleichen Worte.

»Du hast eine gute Mutter gehabt, chérie«, sagte Maurice. »Sie war ein Mensch. Und sie hat mich wieder zum Menschen gemacht.« Er wandte sich zu mir. »Wie hat es dein Jan genannt? Spuren legen? Das ist es, was sie getan hat. Spuren gelegt.«

»Es hat ihr bloß nichts genützt«, sagte Gertrud.

»Vielleicht doch.« Maurice setzte sich wieder hin.

»Was wissen wir.«

Die Zeit verging. Gertrud zündete eine neue Kerze an. Als es drei schlug, sagte sie: »Geht schlafen. Ich will mit ihr allein bleiben.«

16

Aber ich kann nicht schlafen. Ich stehe am Fenster und lasse die Nachtluft herein, wie manchmal, wenn es so dunkel ist. Märzluft. Es riecht nach Erde und feuchten Wiesen. Im Herbst bin ich gekommen, im Frühling werde ich gehen.

Die Bäuerin ist tot.

»Sie hat mich wieder zum Menschen gemacht«, sagt Maurice.

Und ich? Was für ein Mensch bin ich geworden

in diesem halben Jahr? Wie werde ich sein, wenn ich wieder nach Hause komme?

Wenn ich ihnen wieder begegne, Feldmann, Hagemanns, Frankes, Lieberechts, Frau Bühler? Einer von ihnen hat uns verraten, einer ist schuld. Und die anderen haben daneben gestanden, als sie uns fortbrachten. Daneben gestanden und zugestimmt. Der Mond schien, ich konnte ihre Gesichter sehen. »Polenhure«, hat einer gerufen.

Diese schreckliche Nacht.

Ich hatte nie geglaubt, dass sie kommen würden. Ich hatte Angst davor gehabt und es trotzdem nicht geglaubt. So, wie ich mir nicht vorstellen kann, dass ich alt werde. Alt wie die Bäuerin. Und sterben werde. Obwohl ich weiß, dass jeder Mensch alt wird und sterben muss.

Der fünfundzwanzigste Oktober. Ein Herbsttag, feucht und neblig. Durch die Straßen fuhren Pferdewagen mit Rüben zur Steinbergener Zuckerfabrik. In der Konservenfabrik wurde Sirup gekocht. Ein süßlich-fauliger Geruch hing über der Stadt.

Ich war zwei Nächte nicht bei Jan gewesen. Wir wollten uns nicht mehr sehen. Aber das hatten wir schon manchmal gesagt und nicht gehalten. Ich versuchte, am Nachmittag Physik zu lernen. Aber ich konnte nicht, ich dachte an Jan, und dass er nicht mehr lange im Schuppen bleiben konnte. Der Winter kam. Es wurde kalt. Er sollte zu Steffens ziehen, in die Kammer neben dem Pferdestall, wo er ohnehin offiziell wohnte.

»Der Junge erfriert hier«, sagte Steffens. »Er hustet ja schon wie ein alter Hund. Du besuchst uns dann, Reginchen. Und im Frühling ist der ganze Spuk vorbei, dann könnt ihr endlich zusammen tanzen gehen.«

Tanzen. Ich hätte so gern mit Jan getanzt. Ein einziges Mal wenigstens. In dem weißen Kleid mit den blauen Bändern…

Ich wusste an diesem Nachmittag, dass ich in der Nacht bei ihm sein wollte. Ich wartete nicht ab, ob es Alarm gab. Bald, nachdem es dunkel geworden war, schlich ich aus dem Haus.

Der Schuppen war verschlossen. Ich klopfte, kurz-lang-lang-kurz. Das war unser Zeichen.

Jan öffnete. Ich sah, dass er schon geschlafen hatte. Er sah schlecht aus und hustete.

»Warum kommst du, Regina?«, fragte er. »Wir wollten es doch nicht mehr.«

Auf seiner Stirn standen Schweißperlen.

»Bist du krank, Jan?«, fragte ich.

»Geh wieder«, sagte er. »Bitte.«

Ich antwortete nicht. Wir standen uns gegenüber. Er hatte mich noch nicht geküsst. Jetzt streckte er den Arm aus und zog mich an sich.

»Einen Polen, den ich kenne«, sagte er, »einen aus der Eisenbahnwerkstatt, den haben sie gestern aufgehängt. Er hatte eine deutsche Freundin, eine verheiratete Frau. Was sie mit der Frau gemacht haben, weiß ich nicht. Aber ihn haben sie aufgehängt, an einem Baum im Hof.«

143

Er ließ den Kopf auf meine Schulter fallen.

»Er hat auf einem Lastwagen gestanden, und dann ist der Lastwagen unter ihm weggefahren. Alle Polen, die in der Werkstatt arbeiten, mussten zusehen. Er hat ein Schild um den Hals gehabt: Ich habe die deutsche Ehre besudelt.«

Jan sprach hastig und leise. Jedes Mal, wenn er Luft holte, hustete er.

»Ich habe Angst«, sagte er. »Ich habe geglaubt, ich könnte es aushalten. Aber ich kann nicht. Ich will nicht sterben. Der Krieg ist bald vorbei, dann können wir zusammen sein, ohne Gefahr.«

Er küsste mich. »Ich weiß, ich bin schuld. Ich habe angefangen. Ich hätte dich in Ruhe lassen sollen.«

»Nein«, sagte ich. »Ich habe ebenso angefangen. Ich bin wiedergekommen, damals, von selbst. Ich wollte es nicht anders.«

»Es war schön, moje kochanie«, sagte er. »Trotz allem. Andere, die spielen vielleicht nur. Wir nicht. Wir haben etwas riskiert.«

Er küsste mich wieder, und dann wollte ich gehen. Aber es war zu spät.

Jan hob den Kopf. »Da ist jemand«, flüsterte er.

Ich hatte nichts gehört. Ich merkte es erst, als sie die Tür eindrückten. Vier Männer. Keine Polizisten. Männer in Zivil. Vier dunkle Gestalten. Vier dunkle Männer. Vier dunkle Hüte. Helle Kreise darunter.

Zwei von ihnen griffen nach mir, hielten mich fest.

»Na, du Sau«, sagte der eine. »Macht's ein Polacke besser als ein deutscher Soldat?«

Dann hörte ich einen Schrei. Es war Jan. Die anderen beiden schlugen auf ihn ein. Er fiel zu Boden, und sie traten nach ihm. Aus seiner Nase lief Blut.

»Hört auf«, sagte einer von denen, die mich festhielten. »Sonst hat er nichts vom Baumeln.«

Dann stießen sie mich aus dem Schuppen, durch die Gärtnerei, auf die Straße. Hinter mir hörte ich Jans schleifende Schritte. Einmal wimmerte er.

Zwei schwarze Autos vor dem Tor zur Gärtnerei. Daneben die Leute aus unserem Haus. Vielleicht hatten die Gestapomänner zuerst in unserer Wohnung geklingelt, an die Tür geschlagen, die Hausbewohner zusammengeholt. Vielleicht brauchten sie Zuschauer. Ich weiß es nicht. Sie waren da.

»Polenhure!«, schrie einer von ihnen.

Es war ganz still gewesen. Niemand hatte gesprochen. Und dann dieses Wort.

Die Gestapomänner stießen mich nach vorn.

»Ist das die Martens?«, fragte der eine.

»Ja«, sagte Feldmann. Er stand mit seiner Frau in der ersten Reihe, neben Lisabeth Hagemann.

»Was sollen wir mit ihr machen?«, fragte der Gestapomann.

Niemand antwortete.

»Dann wollen wir erst mal das machen«, sagte er.

Er griff in meine Haare, riss daran. Ich schrie auf, so weh tat es. Dann sah ich eine Schere. »Nein!«, wollte ich schreien. Aber der Schrei blieb stecken. Und als er sich endlich löste, hielt der Mann meinen Zopf in der Hand. »Wer will ihn haben?«, fragte er und warf ihn den Leuten vor die Füße. Dann schnitt er mir die restlichen Haare ab, dicht über der Kopfhaut.

»So sieht eine Polenhure aus«, sagte er. »Los jetzt. Ab.«

Sie zerrten mich in das Auto. Das andere war schon fort. Mit Jan. Ich hatte nicht gemerkt, wie sie Jan fortgebracht hatten.

Die Fahrt durch die Stadt – ich weiß nichts mehr davon. Erst in dem Moment, als das Auto hielt, beginnt meine Erinnerung wieder.

»Aussteigen«, sagte der Gestapomann.

Wir standen vor dem Gefängnis in der Nähe des Doms. Das große rote Gebäude mit der Mauer und den vielen Fenstern. Ich war so oft daran vorbeigegangen. Andere hatten darin gesessen, Kriminelle, verbrecherische Elemente, Schädlinge an der Volksgemeinschaft.

Jetzt gehörte ich dazu.

»Morgen holen wir dich«, sagten die Gestapomänner, bevor sie gingen.

Der uniformierte Wärter, der mich zu meiner Zelle brachte, war weißhaarig und alt. Auch seine Augenbrauen waren weiß.

Er schloss die Zellentür auf. Ich sah die Pritsche, das vergitterte Fenster, den Kübel in der Ecke…

»Nun geh schon rein«, sagte der Wärter.

Ich hörte, wie müde seine Stimme klang. Ich hörte überhaupt alles, sah alles, nahm alles wahr, viel deutlicher als sonst.

»Leg dich hin«, sagte der Wärter. »Vielleicht schläfst du ein.«

Er hatte dunkle Augen unter den weißen Brauen, fast schwarz.

»Wie alt bist du?«, fragte er.

»Siebzehn«, sagte ich.

Er schüttelte den Kopf und seufzte.

»Musste das denn sein?«, fragte er.

Ich schwieg.

Er seufzte wieder.

»Was soll ich tun?«, fragte ich.

»Beten«, sagte er.

»Und hast du gebetet?«, fragte Gertrud, als ich von dieser Nacht erzählte.

»Danach fragt man nicht«, wollte Maurice sie zurechtweisen und Gertrud war ärgerlich geworden.

»Fragt man nicht, fragt man nicht. Was für feine Leute sind wir eigentlich, dass man danach nicht fragt? Ist doch wichtig. Weil, wenn sie tatsächlich gebetet hat, dann ist ja was bei rausgekommen. Bei mir nie. Also, hast du gebetet?« Ich nickte mit dem Kopf.

»Vielleicht hast du Glück gehabt«, sagte Gertrud. »Und ich nicht. Wie viel ich gebetet habe! Zuerst, dass meinen Brüdern nichts passiert.

Dann, dass drei wiederkommen, oder zwei. Und zum Schluss, dass sie dem Walter wenigstens nur ein Bein abschießen oder einen Arm. Alles umsonst.«

Sie sah mich und Maurice trotzig an.

»Ist ja auch klar, dass das nicht klappen kann. Ich bin schließlich nicht die Einzige, die auf die Idee kommt. Sämtliche Mütter und Schwestern und Mädchen beten für ihre Jungs, alle gleichzeitig. Und irgendwo müssen die Granaten ja platzen, die gehn nun mal nicht in die Luft. Also, wen sollen sie treffen? Und wen nicht? Wenn ihr mich fragt – ich möchte da nicht der liebe Gott sein. Ich…«

»Sag so was nicht, chérie«, fiel Maurice ihr ins Wort.

»Stimmt das etwa nicht?«, fragte Gertrud.

Ich hatte sie noch nie so aufgebracht gesehen. Ihr Gesicht glühte, wie bei der Roggenernte im August.

»Nein, es stimmt nicht«, sagte Maurice.

»Warum nicht?«, fragte Gertrud.

»Weil du Vorschriften machen willst«, sagte Maurice.

»Du verlangst etwas und bist böse, wenn du es nicht bekommst. Anstatt zu sagen: ›Tu, was richtig ist.‹«

»Ach!«, sagte Gertrud. Sie streckte den Kopf vor und starrte Maurice fassungslos an. »Dann ist es wohl richtig, dass unsere Jungs alle tot sind?«

Maurice legte den Arm um sie. Ich drehte den Kopf weg, so zärtlich sah es aus.

»Chérie«, sagte er. »Es ist schrecklich für euch. Aber für deine Brüder – was es für sie ist – weißt du das?«

Gertrud machte immer noch das gleiche Gesicht.

»Maurice«, sagte sie. »Du bist ja fromm!«

Er lächelte.

»Vielleicht. Schließlich liest uns deine Mutter jeden Abend Psalmen vor.«

Es beginnt zu dämmern in der Giebelkammer. Ich mache das Fenster zu und lege mich aufs Bett. Aber ich kann nicht schlafen. Ich denke an die Nacht, als sie mich holten. Ich schließe die Augen und liege wieder auf der Pritsche, rieche den Gestank, der aus der Kübelecke kommt, spüre die kratzige Decke und das Mondlicht auf meinen Augenlidern.

»Beten«, hatte der Wärter gesagt.

Ja, ich habe gebetet in dieser Nacht. Nicht gleich. Ich war es nicht gewohnt. Als ich klein war, hatte meine Mutter es mir beigebracht. »Lieber Gott, mach mich fromm, dass ich in den Himmel komm.« Oder auch: »Ich bin klein, mein Herz ist rein, soll niemand drin wohnen als Jesus allein.« Jeden Abend vor dem Einschlafen stand sie an meinem Bett und faltete mir die Hände. Aber später, nach der Machtergreifung, ist mein Vater mit der ganzen Familie aus

149

der Kirche ausgetreten und dann war mit dem Beten Schluss.

»Die haben uns nicht geholfen«, sagte er. »Nur der Führer.«

Ich nahm nicht mehr am Religionsunterricht teil und bin auch nicht konfirmiert worden. Das fand ich schade. Damals gab es noch einiges zu kaufen und Doris hatte einen Haufen Geschenke bekommen, außerdem ein Konfirmations- und ein Prüfungskleid. Ich schimpfte solange über die Ungerechtigkeit, bis meine Mutter mir ebenfalls ein schwarzes Taftkleid nähte, mit weißen Rüschen am Kragen und an den Ärmeln.

»Du hast es gut«, sagte Doris. »Du kriegst dein Konfirmationskleid gratis.«

Nein, ich betete nicht gleich in der Gefängnisnacht. Ich weinte zuerst, schrie, schlug mit den Fäusten auf die Pritsche. Ich dachte an Jan und an den Polen aus der Eisenbahnwerkstatt und an die Frau aus Rodingen, die Feldmann am liebsten gleich aufgehängt hätte. Ich malte mir aus, was sie jetzt, in diesem Augenblick, mit Jan machten oder was vielleicht schon geschehen war, und wie sie es mit mir machen würden, und ich dachte, ich müsste zerreißen, auseinander fallen, hier in dieser Gefängniszelle. Und als ich nicht mehr heulen konnte und ganz leer war und nichts mehr wusste, da faltete ich die Hände und betete. Hilf mir, lieber Gott, hilf mir hier heraus. Hilf Jan. Mach, dass sie Mitleid haben. Mach, dass sie ihm nichts tun. Mach, dass sie ihn laufen lassen. Mach, dass er fliehen kann. Mach, dass ich fliehen kann. Mach, dass sie Mitleid mit mir haben. Mach, dass sie mir nichts tun. Lieber Gott, hilf mir, hilf Jan, lieber Gott, du kannst es, lieber Gott, rette mich...

Ich habe gebetet, und mein Gebet ist erhört worden. Aber ich weiß nicht, ob man es so nennen darf. Ob man sagen kann, ein Gebet ist erhört und ich bin gerettet worden, wenn es eine so schreckliche Rettung ist. Wenn Bomben auf eine Stadt fallen, wenn ein paar hundert Menschen sterben müssen, nur, damit ich gerettet werde.

Ich liege in der Dämmerung und denke darüber nach und möchte wissen, wer Recht hat. Gertrud? Oder Maurice?

Aber ich bin gerettet worden.

Der Angriff kam unvorbereitet. Es hatte keinen Fliegeralarm gegeben, vielleicht, weil die Bomber zu hoch geflogen waren oder das Warnsystem nicht funktionierte. Die Stadt schlief, als es geschah.

Es ging sehr schnell. Ich hörte, wie es pfiff, und wusste nicht gleich, was das Geräusch bedeutete. Dann krachte es, ganz in der Nähe. Es krachte wieder und ein Stück von der Zellendecke brach herunter, gleich hinter meiner Pritsche. Ich rannte in die Ecke neben der Zellentür, es krachte wieder und die halbe Fensterwand sackte weg. Ich sah Feuerschein, hörte Schreie, wieder Pfeifen, es krachte...

Plötzlich stand der Wärter mit dem weißen Haar vor mir.

»Raus!«, sagte er. »Lauf!«

151

Ich konnte mich nicht bewegen.

»Lauf!«, schrie er mich an. Er nahm die Decke von der Pritsche, warf sie über meinen Kopf und die Schultern, ergriff meine Hand, zog mich hinter sich her. Um uns herum Trümmer, brechende Wände, auf der einen Seite Flammen. Er zog mich eine Treppe hinunter, wieder durch einen Flur, auf den Hof. Feuer, Menschen, eingestürzte Mauern, Schreien, Rennen, Fallen, ein Mann wie eine Fackel kommt uns entgegen. Der Wärter und ich liefen weiter, auf die Straße, in eine dunkle Ecke hinter dem Dom.

»Du darfst nicht nach Hause«, keuchte er. »Geh irgendwo anders hin. Warte.«

Er nahm Streichhölzer und begann, mir die Haarreste anzusengen, Strähne für Strähne.

»So«, sagte er. »Jetzt fällt es nicht mehr so auf. Trotzdem, häng dir die Decke wieder um. Lauf!«

Ich glaube, ich habe dagestanden wie ein Stein.

Er gab mir einen Stoß.

»Lauf endlich!«

Da setzte ich mich in Bewegung. Mit der Decke über dem Kopf rannte ich los, immer geradeaus, an Menschen vorbei, die ebenfalls rannten, halb-nackt manche, so, wie sie sich aus den Flammen und Trümmern gerettet hatten. Ich lief und lief. Ich merkte, dass ich auf dem Weg nach Hause war, wollte umkehren, wusste nicht wohin, blieb ste-hen, rannte weiter. Dann fiel mir der Henninghof ein. Der Henninghof in Gutwegen, achtzehn Kilo-meter von Steinbergen entfernt.

Ich war die Strecke oft mit dem Rad gefahren. Jetzt musste ich zu Fuß gehen. Meine Uhr hatten sie mir im Gefängnis abgenommen, aber es konnte nicht später sein als zwei. Achtzehn Kilometer. Bis zur Dämmerung musste ich es schaffen.

Ich war nicht allein. Noch mehr Menschen verließen die Stadt, manche in Decken gewickelt wie ich, Ausgebombte, die unterwegs zu Verwandten waren. Niemand achtete auf mich. Ich ging so schnell, dass ich alle überholte. Als ich von der Chaussee abbog, war ich allein. Ich fing wieder an zu rennen, blieb stehen, rannte weiter, glaubte, die Dämmerung zu sehen, rannte schneller. Es war noch dunkel, als ich in Gutwegen ankam. Drei Stunden, mehr habe ich nicht für den Weg gebraucht.

Ich weiß noch, was ich dachte, als ich den Henninghof sah, das dunkle Haus, die Mauer, die den Hof umschloss: Ich habe es geschafft. Ich bin gerettet. Zum ersten Mal, seit der Wärter mich aus der Zelle geholt hatte, dieses Gefühl. Vorher war ich nur gelaufen.

Das Hoftor wurde niemals abgeschlossen. Ich drückte die Klinke herunter. Der Hund schlug an.

»Harro!«, rief ich leise, da war er still. Er kannte mich. Ich hatte ihm oft Futter gegeben.

Ich ging zum Schlafzimmerfenster der Bäuerin und klopfte.

Sie bewegte sich, ich hörte ihre Schritte. Dann wurde die Verdunkelung beiseite geschoben.

»Ich bin es«, sagte ich und sie schloss die Tür auf und ließ mich ein. Wir standen im Hausflur, über ihre Schulter fiel der graue Zopf, das Gesicht verschwamm im Kerzenlicht.

Sie brachte mich in die Giebelkammer.

»Schlaf, Regine«, sagte sie.

Das war vor fünf Monaten. Jetzt ist sie tot. Aber ich lebe. Ich liege auf dem Bett und atme und sehe, wie es hell wird vor dem Fenster. Vielleicht liegt auch Jan irgendwo und atmet. Er wird wach, er steht auf, er zieht sich an, er isst, er trinkt, und die Zeit vergeht für ihn und für mich. Bis der Krieg zu Ende ist.

Wenn der Krieg zu Ende ist, fahre ich mit Gertruds Rad nach Hause. Meine Mutter wird weinen. Ich auch. Aber nicht lange. Ich will endlich nicht mehr weinen.

Ich weiß, irgendetwas wird kommen.

Vielleicht kommt Jan.

Er steht vor der Tür, die Schultern ein bisschen vorgebeugt, mit diesen hellen Augen... »Moje kochanie«, sagt er.

»Jan«, sage ich.

»War es schlimm?«, fragt er.

»Jetzt ist alles gut«, sage ich.

Wir gehen durch die Straßen. Es ist Sommer. Ich habe mein weißes Kleid an.

»Endlich könnt ihr zusammen tanzen«, sagt Steffens.

Und wenn ich Jan nicht wieder sehe?

»Du wirst sehr traurig sein«, hat Maurice gesagt, als wir um den Tisch herumsaßen, an einem dieser vielen Abende: »Du wirst sehr traurig sein, ma petite. Bis du wieder glücklich bist.«

»Glücklich?«, sagte ich. »Ohne Jan?«

»Du bist erst siebzehn«, sagte Maurice. »Mir ist mit siebzehn ein Mädchen weggelaufen und ich wollte mich in die Rhone stürzen. Später habe ich in der Rhone geangelt. Mein kleiner Sohn war dabei.«

»Du wirst dich später noch mal an 'n Kopp fassen«, sagte Gertrud, »wenn du nachzählst, wie oft du dich verliebt hast.«

Sie saß da und trank ihren Stachelbeerwein und ich sagte, dass sie keine Ahnung hätte, und wenn ich Jan nicht wieder sehen sollte, dann wäre ich…

»Nun sag bloß, dann wärst du lieber tot«, sagte Gertrud. »Da lach ich mich nämlich kaputt.«

Sie hatte Recht. Ich wollte nicht tot sein. Ich wollte leben. Aber nur mit Jan. Ich war ganz sicher gewesen, nur mit Jan.

Und wenn ich ihn wirklich niemals wieder sehe?

Unten klappt eine Tür. Gertrud geht zu den Nachbarn. Sie holt die Frau, die die Toten wäscht, sie sagt dem Pastor Bescheid. Bald werden sie kommen, aus allen Dörfern der Umgebung, um die Bäuerin zu begraben. Ein langer Zug vom Henninghof zum Friedhof von Gutwegen.

Ich kann nicht dabei sein. Aber wenn der Krieg zu Ende ist, gehe auch ich wieder durch das Dorf. Ich gehe zum Friedhof und bringe Blumen ans Grab.

Und wenn ich Jan wirklich nicht wieder sehe?

Ich liege in der Giebelkammer und es ist anders geworden seit der letzten Nacht. So wie damals nach dem Bombenangriff, als ich zu Hause am Fenster stand und merkte, dass ich noch am Leben war. Ja, so ähnlich ist es. Ich habe keine Angst mehr, ich lebe, ich werde weiterleben, die Zeit wird kommen, etwas wird kommen, auf das ich warte.

»Spuren legen«, hat Jan gesagt.

Wenn der Krieg zu Ende ist, will ich anfangen, Spuren zu legen.

Federica de Cesco

Shana, das Wolfs- mädchen

Die junge Shana ist untröstlich. Lela, ihre geliebte Lehrerin, ist durch einen tragischen Unfall ums Leben gekommen. Shanas einziger Trost ist nun die Geige, die Lela ihr hinterließ – zusammen mit dem geheimnisvollen Versprechen, bei Shana zu bleiben, solange das Mädchen sie braucht. Seitdem zieht sich Shana regelmäßig zum Musizieren in die Einsamkeit des Waldes zurück. Dort beobachtet Shana immer öfter eine Wölfin, die – offenbar vom Geigenspiel angelockt – ihre Nähe sucht. Als Shanas Vater ihre kostbare Geige verkaufen will, flieht sie mit dem Instrument in die Wildnis. Doch dort ist sie nicht allein – die Wölfin wacht über sie und lauscht ihrem Spiel…

240 Seiten. Gebunden. Ab 12.

Arena Verlag
Postfach 5169
97001 Würzburg
Tel.: 0931/79644-0

Arena

dtv pocket

Band 78152

Band 78153

Katta sitzt im Knast –
und das mit 16! Mit ihrer
Clique hat sie eine Tank-
stelle überfallen und dabei
den Tankwart angeschos-
sen. Elf Monate muss sie
absitzen – es ist kaum
auszuhalten. Nur einen
Lichtblick gibt es: Sie darf
an einem Internet-Kurs
teilnehmen und chatten.
So lernt sie Judith kennen,
die nicht weiß, dass Katta
ihr aus dem Knast mailt.
Judith will Katta unbe-
dingt besuchen ...

Jan hat sich nie richtig
wohl gefühlt in der Rolle
als angehender Erbe des
Sennebergschen Familien-
besitzes. Auf einer Klassen-
reise nach London macht
er eine Entdeckung, die
sein Leben verändert:
Die Druckerei, das Haus,
der ganze Wohlstand –
das gibt es alles nur, weil
vor 60 Jahren die Juden
verfolgt worden sind und
Simon Reich auf der
Flucht vor den Nazis alles
zurücklassen musste ...

Bücher auf den ersten Klick

www.dtvjunior.de

NEUERSCHEINUNGEN

HIGHLIGHT DES MONATS

AKTUELLES PROGRAMM

AUTORENPORTRÄTS

INFOS & SERVICE

LESEPROBEN

GEWINNSPIELE

JUGENDBUCH

UNTERRICHTSMATERIALIEN

PRESSESTIMMEN

GESAMTVERZEICHNIS

KINDERBUCH

BESTELLSERVICE

SURFTIPPS

UND UND UND ...

Auf unseren
Internetseiten
gibt es jederzeit
den aktuellsten
Überblick über
unser Kinder-
und Jugendbuch-
programm.